A-Z REIGATE & REDHILL

Key to Maps

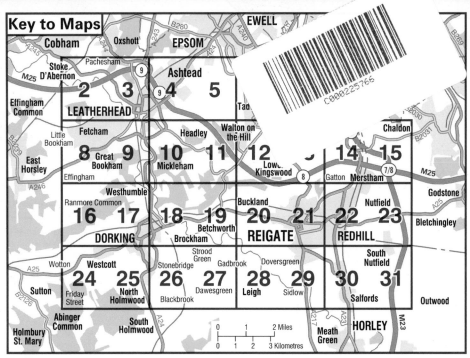

Reference

Motorway M25	**Residential Walkway**	**Fire Station**	■
A Road A25	**Railway** Level Crossing Station	**Hospital**	H
B Road B2034	**Built Up Area** LIME CL	**House Numbers** A & B Roads Only	2 33
Dual Carriageway	**Local Authority Boundary**	**Information Centre**	i
One Way Street Traffic flow on A roads is indicated by a heavy line on the drivers' left	**Postown Boundary**	**National Grid Reference**	520
Junction Name KNOLL R'BOUT	**Postcode Boundary** within Postown	**Police Station**	▲
Pedestrianized Road	**Map Continuation** 5	**Post Office**	★
Restricted Access	**Car Park** Selected	P	**Toilet**	▽
Track & Footpath	**Church or Chapel** †	with Facilities for the Disabled	占
		Viewpoint	☀

Scale

1:19,000
3⅓ inches to 1 mile

Copyright of Geographers' A-Z Map Company Limited

Head Office : Fairfield Road, Borough Green, Sevenoaks, Kent TN15 8PP Tel: 01732 781000
Showrooms : 44 Gray's Inn Road, London WC1X 8HX Tel: 0171 242 9246

© 1998 EDITION 1   © Crown Copyright (399000)

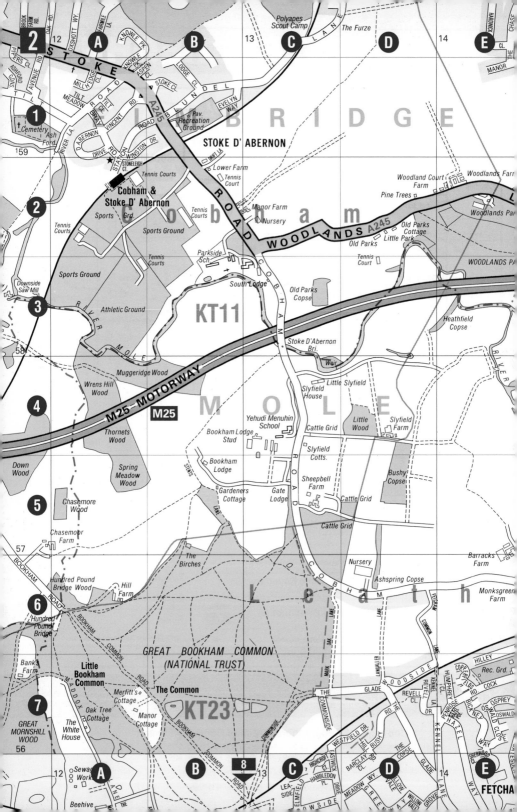

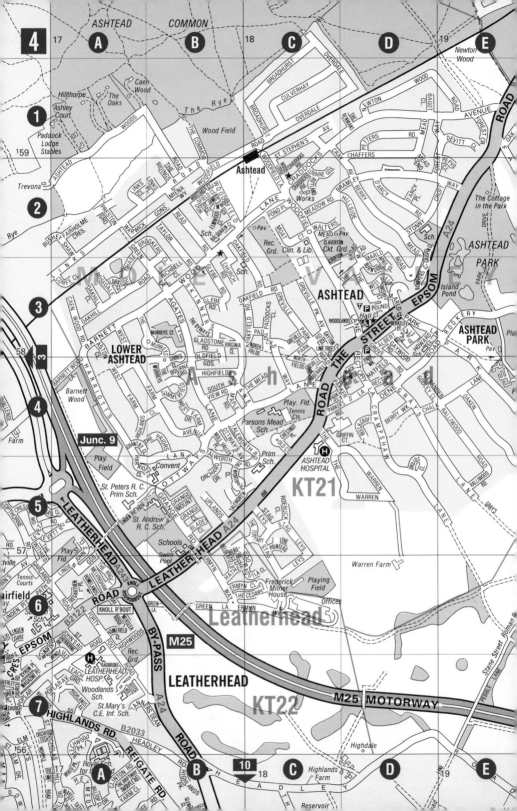

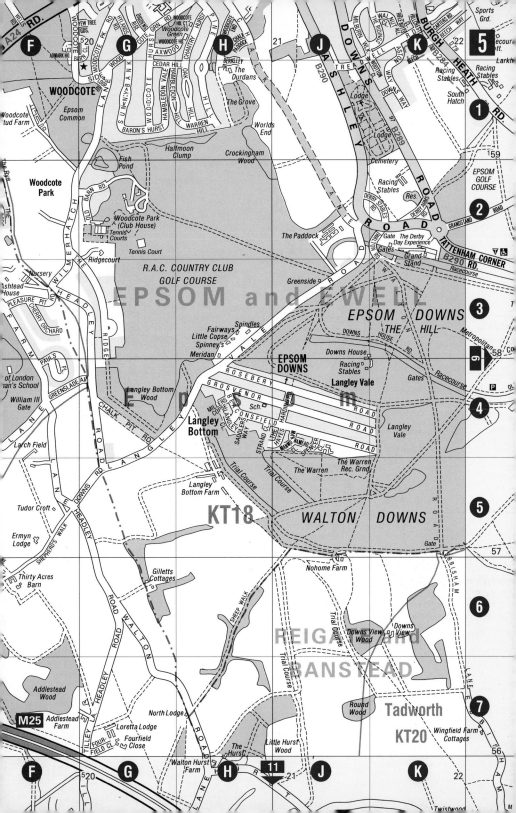

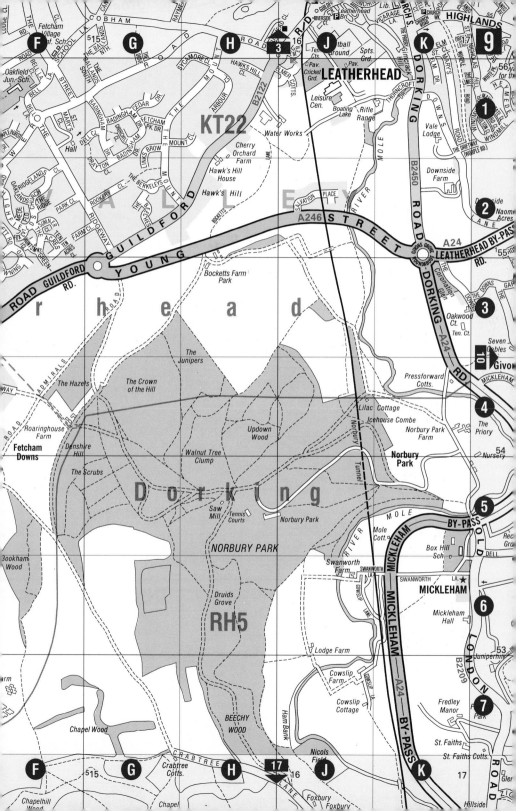

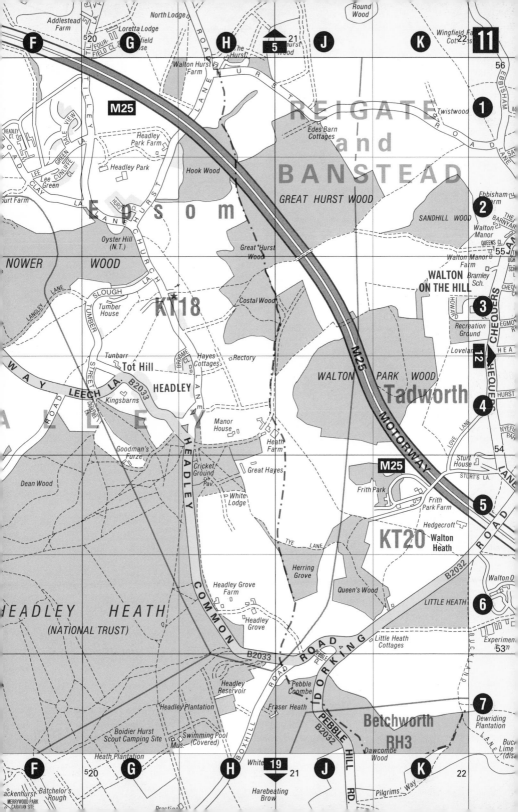

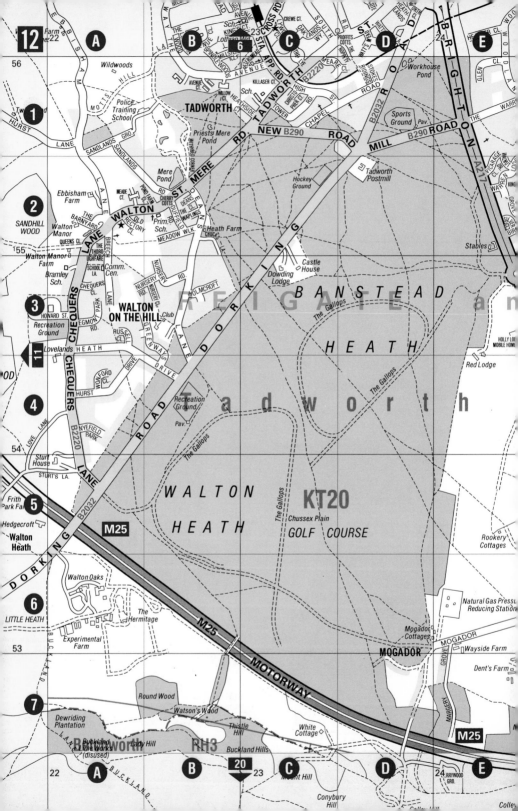

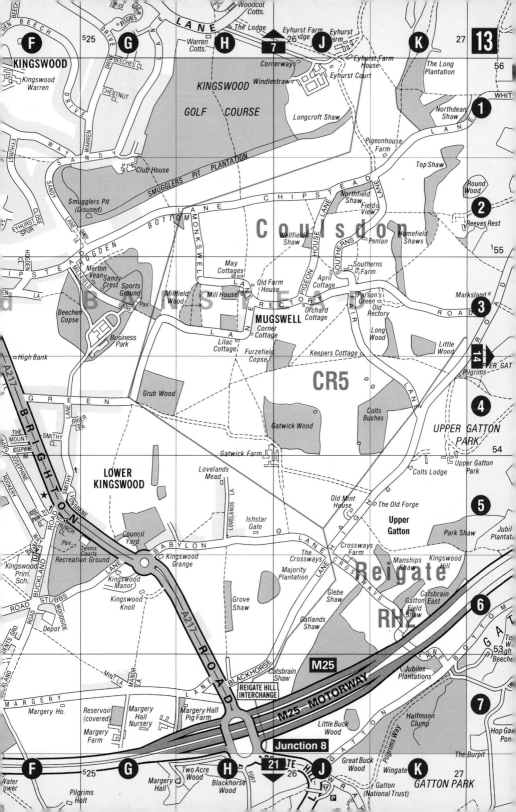

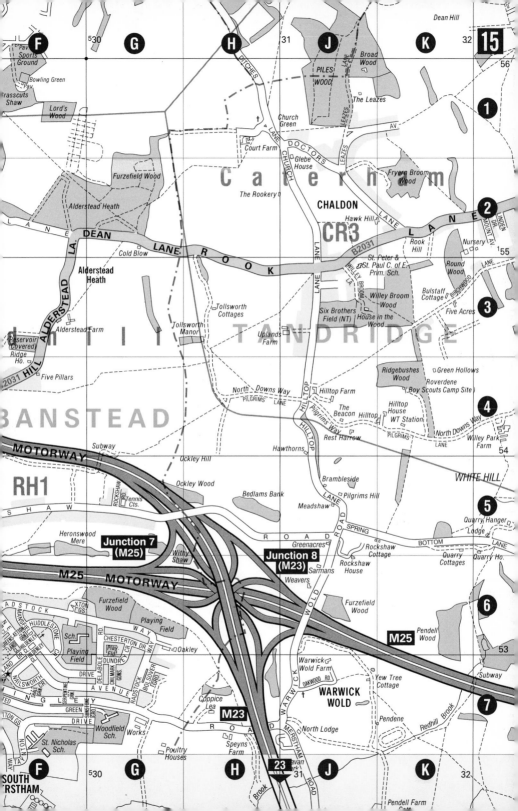

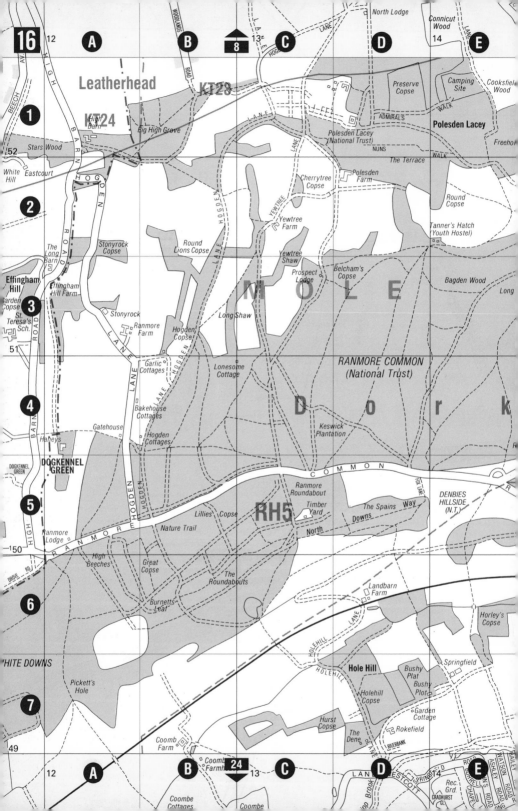

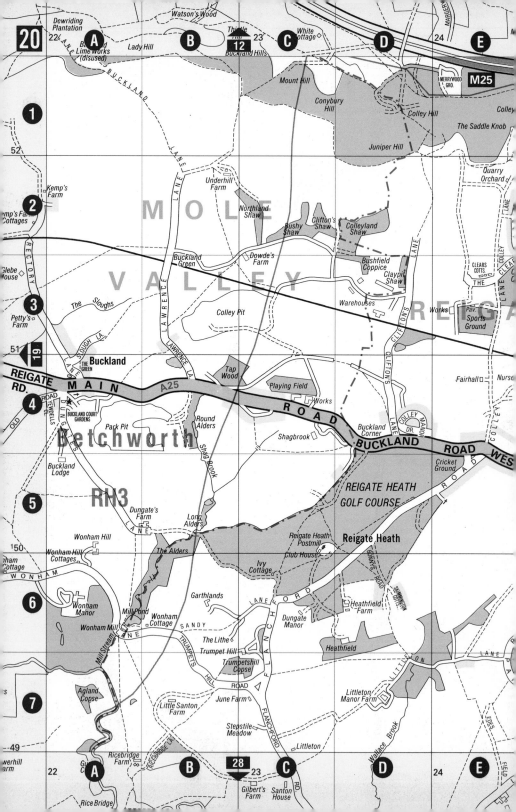

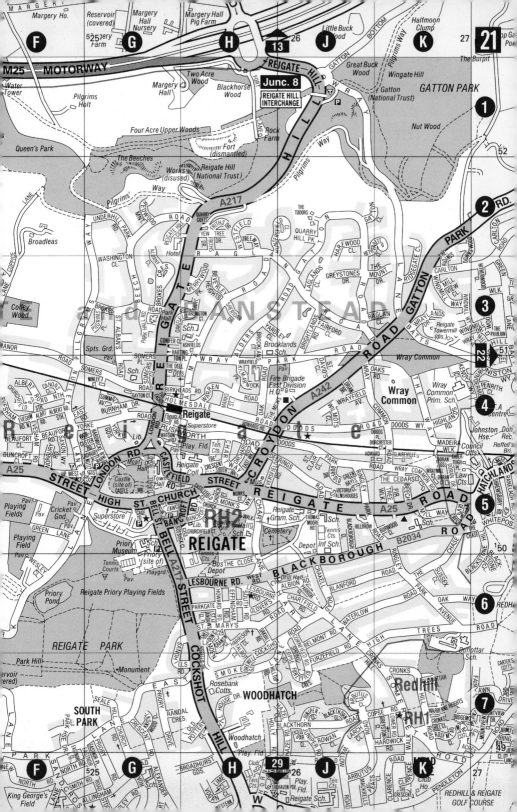

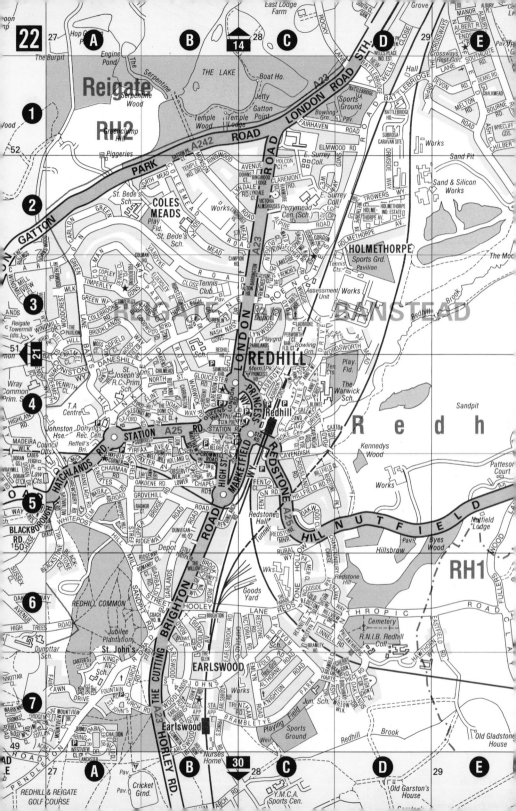

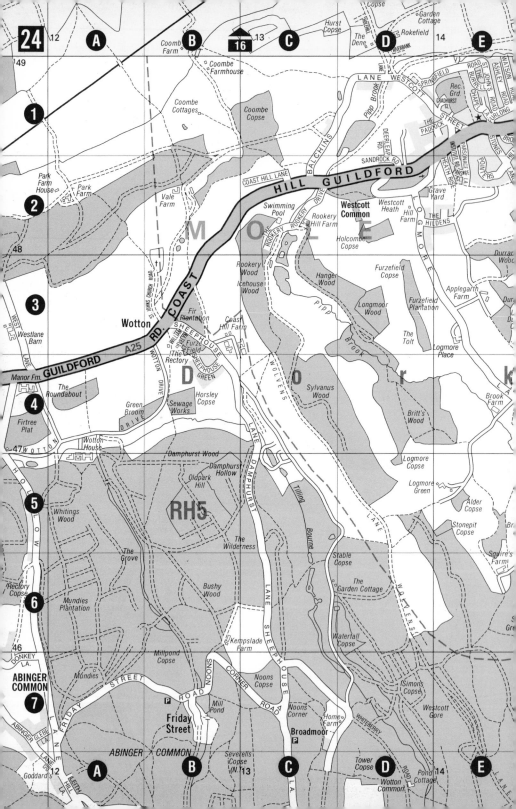

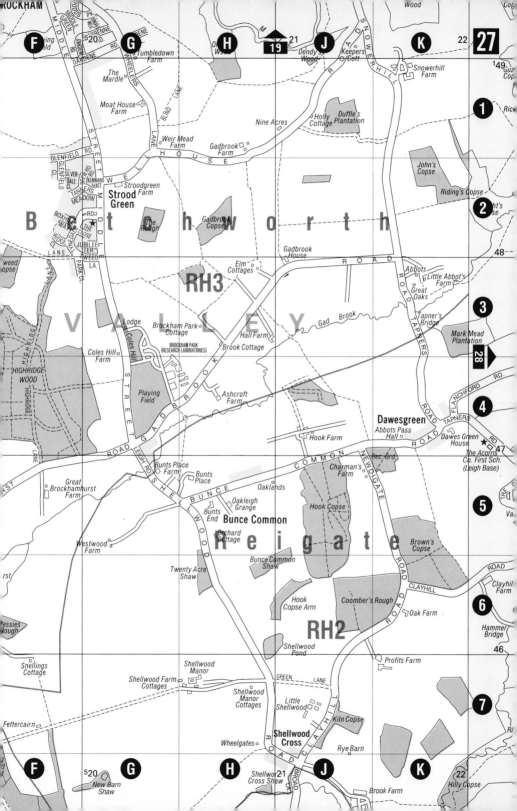

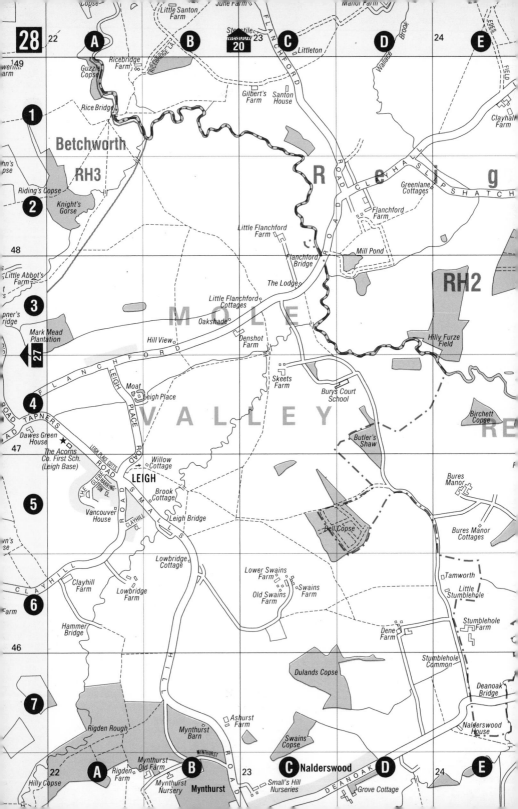

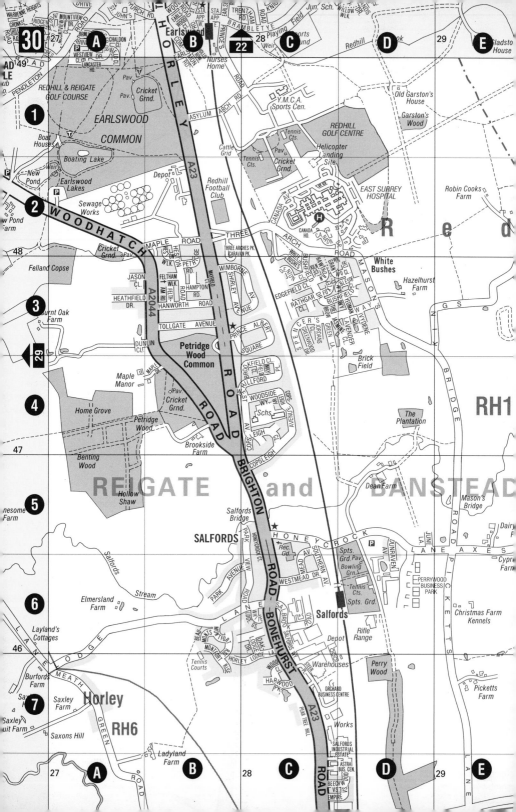

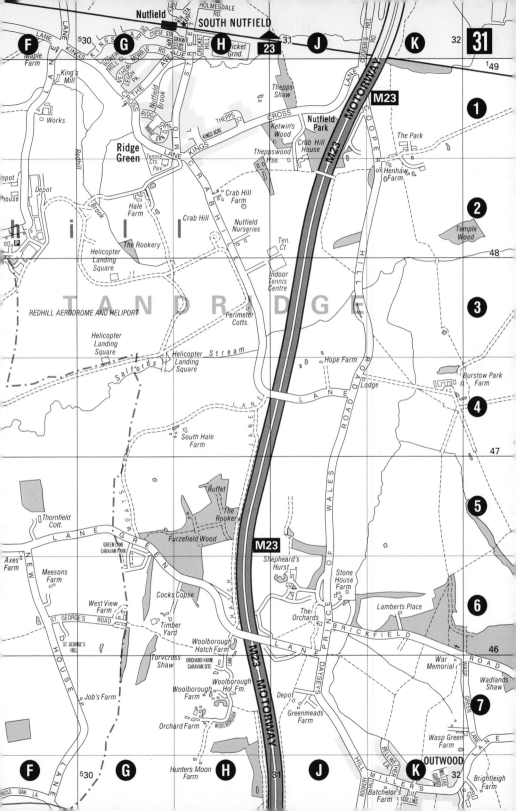

INDEX TO STREETS
Including Industrial Estates and a selection of Subsidiary Addresses.

HOW TO USE THIS INDEX

1. Each street name is followed by its Posttown or Postal Locality and then by its map reference; e.g. Abinger Clo. *N Holm* —4A **26** is in the North Holmwood Postal Locality and is to be found in square 4A on page **26**. The page number being shown in bold type. A strict alphabetical order is followed in which Av., Rd., St., etc. (though abbreviated) are read in full and as part of the street name; e.g. Brockhamhurst Rd. appears after Brockham Grn. but before Brockham La.

2. Streets and a selection of Subsidiary names not shown on the Maps, appear in the index in *Italics* with the thoroughfare to which it is connected shown in brackets; e.g. *Boleyn Ct. Red* —4C **22** (off St Anne's Rise.)

GENERAL ABBREVIATIONS

All : Alley	Clo : Close	Junct : Junction	Rd : Road
App : Approach	Comn : Common	La : Lane	Shop : Shopping
Arc : Arcade	Cotts : Cottages	Lit : Little	S : South
Av : Avenue	Ct : Court	Lwr : Lower	Sq : Square
Bk : Back	Cres : Crescent	Mnr : Manor	Sta : Station
Boulevd : Boulevard	Dri : Drive	Mans : Mansions	St : Street
Bri : Bridge	E : East	Mkt : Market	Ter : Terrace
B'way : Broadway	Embkmt : Embankment	M : Mews	Trad : Trading
Bldgs : Buildings	Est : Estate	Mt : Mount	Up : Upper
Bus : Business	Gdns : Gardens	N : North	Vs : Villas
Cvn : Caravan	Ga : Gate	Pal : Palace	Wlk : Walk
Cen : Centre	Gt : Great	Pde : Parade	W : West
Chu : Church	Grn : Green	Pk : Park	Yd : Yard
Chyd : Churchyard	Gro : Grove	Pas : Passage	
Circ : Circle	Ho : House	Pl : Place	
Cir : Circus	Ind : Industrial	Quad : Quadrant	

POSTTOWN AND POSTAL LOCALITY ABBREVIATIONS

Ab C : Abinger Common	*Cobh* : Cobham	*Kgswd* : Kingswood	*Red* : Redhill
Ab H : Abinger Hammer	*Cotm* : Cotmandene	*Lea* : Leatherhead	*Reig* : Reigate
Asht : Ashtead	*Coul* : Coulsdon	*Leigh* : Leigh	*Salf* : Salfords
Bans : Banstead	*Dork* : Dorking	*Lwr K* : Lower Kingswood	*S Nut* : South Nutfield
Bet : Betchworth	*Earl* : Earlswood	*Mers* : Merstham	*S Pk* : South Park
Blet : Bletchingley	*Eff* : Effingham	*Mick* : Mickleham	*Stoke D* : Stoke D'abernon
Bookh : Bookham	*Eps* : Epsom	*Mid H* : Mid Holmwood	*Str G* : Strood Green
Brock : Brockham	*Fet* : Fetcham	*N Holm* : North Holmwood	*Tad* : Tadworth
Buck : Buckland	*H'ley* : Headley	*Nutf* : Nutfield	*Westc* : Westcott
Bur H : Burgh Heath	*Holmw* : Holmwood	*Out* : Outwood	*Westh* : Westhumble
Cat : Caterham	*Hool* : Hooley	*Oxs* : Oxshott	*Wott* : Wotton
Chips : Chipstead	*Horl* : Horley	*Ran C* : Ranmore Common	

INDEX TO STREETS

Abbots Rise. *Red* —3C **22**
Abinger Clo. *N Holm* —4A **26**
Abinger Dri. *Red* —7A **22**
Abinger La. *Ab C* —7A **24**
Acorn Gro. *Tad* —2E **12**
Acres Gdns. *Tad* —4D **6**
Adlers La. *Westh* —2J **17**
Admark Ho. *Eps* —1F **5**
Admirals Rd. *Bookh & Lea* —6E **8**
Admiral's Wlk. *Ran C* —1D **16**
Agates La. *Asht* —3B **4**
Albany Clo. *Reig* —2G **21**
Albany Pk. Rd. *Lea* —4J **3**
Albertine Clo. *Eps* —1B **6**
Albert Rd. *Asht* —3D **4**
Albert Rd. *Red* —7E **14**
Albert Rd. N. *Reig* —4F **21**
Albert Rd. S. *Reig* —4F **21**
Albion Rd. *Reig* —6J **21**
Albury Pl. *Mers* —7E **14**
Albury Rd. *Red* —7E **14**
Alcocks Clo. *Tad* —5E **6**
Alcocks La. *Kgswd* —6E **6**
Alders Rd. *Reig* —3H **21**
Alderstead La. *Red* —3F **15**
Alexander Godley Clo. *Asht* —4D **4**
Alexander Rd. *Reig* —1G **29**
Allen Rd. *Bookh* —4D **8**
Allingham Rd. *Reig* —1G **29**
Allum Gro. *Tad* —6B **6**
Alma Rd. *Reig* —4H **21**
Almshouses. *Cotm* —6K **17**
Alpine Rd. *Red* —2C **22**
Althorne Rd. *Red* —7C **22**

Alton Ho. *Red* —3C **22**
Ambleside Clo. *Red* —3D **30**
Amey Dri. *Bookh* —2E **8**
Ansell Rd. *Dork* —6K **17**
Anthony W. Ho. *Bet* —7F **19**
Aperdele Rd. *Lea* —3J **3**
Apley Rd. *Reig* —1G **29**
Approach, The. *Bookh* —1B **8**
April Clo. *Asht* —3D **4**
Aquila Clo. *Lea* —6C **4**
Arbour Clo. *Fet* —1H **9**
Arbutus Clo. *Red* —7J **21**
Arbutus Rd. *Red* —1J **29**
Archway M. *Dork* —6J **17**
Archway Pl. *Dork* —6J **17**
Arden Clo. *Reig* —2H **29**
Ardshiel Dri. *Red* —7A **22**
Arlington Ct. *Reig* —3H **21**
Arundel Rd. *Dork* —7J **17**
Ash Clo. *Red* —1E **22**
Ashcombe Rd. *Dork* —5J **17**
Ashcombe Rd. *Red* —5E **14**
Ashcombe Ter. *Tad* —5B **6**
Ashdale. *Bookh* —4E **8**
Ashdown Clo. *Reig* —2H **29**
Ashdown Rd. *Reig* —2H **29**
Ash Dri. *Red* —7C **22**
Ashfields Ct. *Reig* —3H **21**
Ashford Gdns. *Cobh* —1A **2**
Ashleigh Cotts. *Dork* —7K **25**
Ashley Clo. *Bookh* —3B **8**
Ashley Rd. *Eps* —1J **5**
Ashley Rd. *Westc* —1E **24**
Ashtead Gap. *Lea* —1K **3**

Ashtead Woods Rd. *Asht* —2A **4**
Ashurst Dri. *Tad* —1F **19**
Ashurst Rd. *Tad* —6B **6**
Ashwood Pk. *Fet* —2E **8**
Aspen Clo. *Stoke D* —1A **2**
Aston Clo. *Asht* —3A **4**
Aston Way. *Eps* —1K **5**
Astra Bus. Cen. *Red* —7C **30**
Asylum Arch Rd. *Red* —1B **30**
Atherfield Rd. *Reig* —1J **29**
Atwood. *Bookh* —2A **8**
Avenue Clo. *Tad* —7B **6**
Avenue Ct. *Tad* —1B **12**
Avenue Rd. *Bans* —1H **7**
Avenue Rd. *Cobh* —1A **2**
Avenue, The. *Brock* —5E **18**
Avenue, The. *S Nut* —1G **31**
Avenue, The. *Tad* —7B **6**
Avenue Vs. *Red* —7E **14**
Axes La. *Red* —5E **30**
Axwood. *Eps* —1G **5**

Babylon La. *Tad* —5G **13**
Back All. *Dork* —7K **17**
Badingham Dri. *Fet* —1G **9**
Bagden Hill. *Westh* —1F **17**
Bagot Clo. *Asht* —1D **4**
Bailey Rd. *Westc* —1E **24**
Baker Pl. *Dork* —7K **17**
Balchins La. *Westc* —2C **24**
Ballands N., The. *Fet* —1G **9**
Ballands S., The. *Fet* —1G **9**
Ballantyne Dri. *Kgswd* —6F **7**

Ballards Grn. *Tad* —4E **6**
Balquhain Clo. *Asht* —2B **4**
Bancroft Ct. *Reig* —5H **21**
Bancroft Rd. *Reig* —5G **21**
Barclay Clo. *Fet* —1D **8**
Barfield Ct. *Red* —3C **22**
Barfields. *Blet* —4K **23**
Barleymow Ct. *Bet* —5G **19**
Barn Clo. *Eps* —1G **5**
Barnett Clo. *Lea* —4K **3**
Barnett Wood La. *Lea & Asht* —5K **3**
Barn Meadow La. *Bookh* —2B **8**
Baron's Hurst. *Eps* —1G **5**
Baron's Way. *Reig* —2G **29**
Barrett Rd. *Fet* —2F **9**
Barrington Ct. *Dork* —1J **25**
Barrington Ct. *Red* —3C **22**
Barrington Rd. *Dork* —1J **25**
Bartholomew Ct. *Dork* —1J **25**
Battlebridge Ho. *Red* —1D **22**
Battlebridge La. *Red* —1D **22**
Batts Hill. *Red* —4J **22**
Batts Hill. *Reig* —3K **21**
Baxter Av. *Red* —5B **22**
Bayeux. *Tad* —7D **6**
Bay Tree Av. *Lea* —5J **3**
Beacon Clo. *Bans* —1D **6**
Beaconsfield Rd. *Eps* —4H **5**
Beacon Way. *Bans* —1D **6**
Beales Rd. *Bookh* —5D **8**
Bears Den. *Tad* —7F **7**
Beattie Clo. *Bookh* —2B **8**

Beauclare Clo.—Chilmead La.

Beauclare Clo. *Lea* —6B **4**
Beaufort Clo. *Reig* —4F **21**
Beaufort Rd. *Reig* —4F **21**
Beaumonts. *Red* —6B **30**
Beaverbrook Roundabout. *Lea*
—1B **10**
Beech Av. *Eff* —6A **8**
Beech Clo. *Dork* —6H **17**
Beech Clo. *Eff* —6A **8**
Beechcroft. *Asht* —4D **4**
Beechdene. *Tad* —7B **6**
Beech Dri. *Kgswd* —7F **7**
Beech Dri. *Reig* —5K **21**
Beechen La. *Tad* —3F **13**
Beeches Clo. *Tad* —1G **13**
Beeches, The. *Bans* —1H **7**
Beeches, The. *Fet* —2G **9**
Beeches Wood. *Tad* —7G **7**
Beech Gro. *Eps* —2B **6**
Beech Holt. *Lea* —7A **4**
Beech Rd. *Eps* —1K **5**
Beech Rd. *Red* —4E **14**
Beech Rd. *Reig* —3G **21**
Beech Way. *Eps* —1K **5**
Beechwood Av. *Tad* —6G **7**
Beechwood Cvn. Pk. *Tad* —2F **19**
Beechwood Pk. *Lea* —7A **4**
Beechwood Vs. *Red* —7C **30**
Beehive Way. *Reig* —2H **29**
Belfry Shop. Cen., The. *Red*
—4B **22**
Bell La. *Fet* —1F **9**
Bell La. Clo. *Fet* —1F **9**
Bell St. *Reig* —5G **21**
Bellway Ho. *Mers* —6E **14**
Bellwether La. *Out* —7K **31**
Belmont Rd. *Lea* —7J **3**
Belmont Rd. *Reig* —1H **29**
Bennetts Farm Pl. *Bookh* —3B **8**
Bentsbrook Clo. *N Holm* —4K **25**
Bentsbrook Cotts. *Dork* —4K **25**
Bentsbrook Pk. *N Holm* —4K **25**
Bentsbrook Rd. *N Holm* —4K **25**
Beresford Rd. *Dork* —7K **17**
Berkeley Ct. *Asht* —3D **4**
Berkeley Pl. *Eps* —1H **5**
Berkeleys, The. *Fet* —2G **9**
Berry Meade. *Asht* —2D **4**
Berry Wlk. *Asht* —4D **4**
Beverley Heights. *Reig* —3H **21**
Bickney Way. *Fet* —7E **2**
Bidhams Cres. *Tad* —6C **6**
Big Comn. La. *Blet* —4K **23**
Bilton Cen. *Lea* —4H **3**
Birch Av. *Lea* —5A **4**
Birch Gro. *Tad* —2E **12**
Birchway. *Red* —7D **22**
Birchwood La. *Cat* —3K **15**
Birkheads Rd. *Reig* —4G **21**
Bishop's Cotts. *Bet* —4F **19**
Blackborough Clo. *Reig* —5J **21**
Blackborough Rd. *Reig* —6J **21**
Blackbrook Rd. *Dork* —4B **26**
Blackburn, The. *Bookh* —2B **8**
Blackhorse La. *Reig* —7H **13**
Blackhorse La. *Tad* —7H **13**
Blacklands Meadow. *Nutf* —4G **23**
Blacksmith Clo. *Asht* —4D **4**
Blackstone Clo. *Red* —6A **22**
Blackstone Hill. *Red* —6A **22**
Blackthorn Clo. *Red* —6A **22**
Blackthorne Rd. *Bookh* —4E **8**
Blackthorn Rd. *Reig* —7J **21**
Blades Clo. *Lea* —5B **4**
Blanford Rd. *Reig* —6J **21**
Bletchingley Clo. *Red* —7E **14**
Bletchingley Rd. *Mers* —7E **14**
Bletchingley Rd. *Nutf* —4J **23**
Blind La. *Bet* —1G **27**
Blundel La. *Stoke D* —1B **2**
Bocketts La. *Fet* —2H **9**

Boleyn Ct. *Red* —4C **22**
(off St Anne's Rise)
Boleyn Wlk. *Lea* —5H **3**
Bolsover Gro. *Red* —7G **15**
Bolters La. *Bans* —1G **7**
Bond's La. *Mid H* —6K **25**
Bonehurst Rd. *Salf & Horl* —6C **30**
Bonnys Rd. *Reig* —6D **20**
Bonsor Dri. *Tad* —7E **6**
Bookham Comn. Rd. *Bookh* —6A **2**
Bookham Ct. *Bookh* —1B **8**
Bookham Gro. *Bookh* —4D **8**
Bookham Ind. Est. *Bookh* —1B **8**
Bookham Rd. *D'side* —6A **2**
Borough, The. *Brock* —6E **18**
Botery's Cross. *Blet* —4K **23**
Bourne Gro. *Asht* —4B **4**
Bourne Rd. *Red* —1E **22**
Bower Hill. *Lea* —1G **31**
Bower Hill La. *S Nut* —6F **23**
Bowyers Clo. *Asht* —3D **4**
Boxhill Rd. *Dork* —4C **18**
Boxhill Rd. *Tad* —3D **18**
Boxhill Way. *Str G* —2F **27**
Bracken Clo. *Bookh* —2B **8**
Bradley La. *Dork* —3J **17**
Braes Mead. *S Nut* —6G **23**
Bramble Clo. *Red* —7C **22**
Brambletye Pk. Rd. *Red* —7B **22**
Bramblewood. *Red* —7D **14**
Bramley Clo. *Red* —7A **22**
Bramley Ho. *Red* —6C **22**
Bramley Way. *Asht* —2D **4**
Brandsland. *Reig* —2H **29**
Bray Rd. *Stoke D* —1A **2**
Breech La. *Tad* —2A **12**
Brew Ho. Rd. *Brock* —2F **27**
Brickbat All. *Lea* —7K **3**
Brickfield Rd. *Out* —6J **31**
Bridge St. *Lea* —7J **3**
Brier Lea. *Tad* —4F **13**
Brier Rd. *Tad* —4B **6**
Brightlands Rd. *Reig* —3J **21**
Brighton Rd. *Hool & Coul* —1D **14**
Brighton Rd. *Red* —6B **22**
Brighton Rd. *Salf* —5C **30**
Brighton Rd. *Tad & Bans* —7E **6**
Brighton Ter. *Red* —6B **22**
Brimstone La. *Dork* —7D **26**
Brindles, The. *Bans* —2F **7**
Broadfield Clo. *Tad* —5C **6**
Broadhurst. *Asht* —1C **4**
Broadhurst Gdns. *Reig* —1H **29**
Broad La. *Newd* —7J **27**
Broad Mead. *Asht* —3D **4**
Broadmead. *Mers* —6E **14**
(off Station Rd.)
Broad Wlk. *Coul* —1C **14**
Broad Wlk. *Eps* —4D **6**
Brockham Grn. *Brock* —6F **19**
Brockhamhurst Rd. *Bet* —5E **26**
Brockham La. *Brock* —5E **18**
Brockham Pk. *Bet* —3G **27**
Broderick Gro. *Bookh* —4C **8**
Brokes Cres. *Reig* —3G **21**
Brokes Rd. *Reig* —3G **21**
Bronte Ct. *Red* —4C **22**
(off St Anne's Rise)
Brook Clo. *Dork* —5A **18**
Brookers Clo. *Asht* —2B **4**
Brook Farm Rd. *Cobh* —1A **2**
Brookfield Clo. *Red* —4C **30**
Brookland Ct. *Reig* —3H **21**
Brooklands Way. *Red* —3A **22**
Brook La. *Mers* —7E **14**
Brook Rd. *Red* —6B **22**
Brook Valley. *Mid H* —6K **25**
Brook Way. *Lea* —3J **3**
Broome Clo. *H'ley* —4G **11**

Broome Ct. *Tad* —4E **6**
Broomfield Pk. *Westc* —1E **24**
Broomhurst Ct. *Dork* —2K **25**
Browning Rd. *Fet* —3F **9**
Brownlow Rd. *Red* —5A **22**
Browns La. *Eff* —5A **8**
Brow, The. *Red* —3C **30**
Brympton Clo. *Dork* —2J **25**
Buckhurst Clo. *Red* —3A **22**
Buckland Ct. Gdns. *Bet* —4A **20**
Buckland La. *Tad* —6A **12**
Buckland Rd. *Lwr K* —7F **13**
Buckland Rd. *Reig* —4D **20**
Buckles Way. *Bans* —1E **6**
Budgen Dri. *Red* —2C **22**
Bull Hill. *Lea* —6J **3**
Bunbury Way. *Eps* —1B **6**
Bunce Comn. Rd. *Leigh* —5H **27**
Burford Bri. Roundabout. *Dork*
—2A **18**
Burgh Heath Rd. *Eps* —1K **5**
Burgh Mt. *Bans* —1F **7**
Burgh Wood. *Bans* —1E **6**
Burn Clo. *Oxs* —1F **3**
Burney Clo. *Fet* —3E **8**
Burney Rd. *Westh* —2J **17**
Burnham Dri. *Reig* —4G **21**
Burnhams Rd. *Bookh* —2A **8**
Burnside. *Asht* —3D **4**
Burrell, The. *Westc* —1E **24**
Burrows Clo. *Bookh* —2B **8**
Burwood Clo. *Reig* —5K **21**
Bushbury Rd. *Bet* —3E **26**
Bushetts Gro. *Red* —7D **14**
Bushey Shaw. *Asht* —2A **4**
Bushfield Dri. *Red* —3C **30**
Bushy Rd. *Fet* —7D **2**
Business Pk. 5. *Lea* —5H **3**
Butter Hill. *Dork* —7J **17**
Byron Pl. *Lea* —7K **3**
Byttom Hill. *Mick* —4A **10**
Byways, The. *Asht* —3B **4**

Caberfeigh Pl. *Red* —5K **21**
Caen Wood Rd. *Asht* —3A **4**
Cage Yd. *Reig* —5G **21**
Calvert Cres. *Dork* —5K **17**
Calvert Rd. *Dork* —5K **17**
Camilla Clo. *Bookh* —3D **8**
Camilla Dri. *Westh* —1J **17**
Campion Clo. *Tad* —5B **6**
Campion Ho. *Red* —3B **22**
Canada Av. *Red* —2C **30**
Canada Dri. *Red* —2C **30**
Canada Ho. *Red* —2C **30**
Candy Croft. *Bookh* —4D **8**
Can Hatch. *Tad* —3E **6**
Cannon Gro. *Fet* —7G **3**
Cannonside. *Fet* —7G **3**
Cannon Way. *Fet* —6G **3**
Canons Clo. *Reig* —4F **21**
Canons La. *Tad* —3E **6**
Canterbury Ct. *Dork* —6J **17**
(off Station Rd.)
Carlton Grn. *Red* —2A **22**
Carlton Rd. *Reig & Red* —3K **21**
Carrington Clo. *Red* —4B **22**
Carter's Cotts. *Red* —7A **22**
Carters Rd. *Eps* —1K **5**
Cartmel Clo. *Reig* —3A **22**
Castle Clo. *Reig* —2H **29**
Castle Dri. *Reig* —2G **29**
Castlefield Ct. *Reig* —5H **21**
Castlefield Rd. *Reig* —5G **21**
Castle Gdns. *Dork* —5D **18**
Castle St. *Blet* —4K **23**
Castle Wlk. *Reig* —5G **21**
Cavendish Gdns. *Red* —4C **22**
Cavendish Rd. *Red* —4C **22**
Caxton Rise. *Red* —4C **22**

Cedar Clo. *Dork* —7K **17**
Cedar Clo. *Reig* —7J **21**
Cedar Dri. *Fet* —1G **9**
Cedar Rd. *Eps* —1G **5**
Cedars, The. *Lea* —6B **4**
Cedars, The. *Reig* —5K **21**
Cedar Wlk. *Tad* —5E **6**
Central Pde. *Red* —4B **22**
Chadhurst Clo. *N Holm* —3B **26**
Chaffers Mead. *Asht* —1D **4**
Chaldon Clo. *Red* —7A **22**
Chalk La. *Asht* —4D **4**
Chalk La. *Eps* —1H **5**
Chalkmead. *Red* —1E **22**
Chalk Paddock. *Eps* —1H **5**
Chalkpit La. *Bet* —4F **19**
Chalkpit La. *Bookh* —6B **8**
Chalkpit La. *Dork* —6J **17**
Chalk Pit Rd. *Bans* —2G **7**
Chalk Pit Rd. *Eps* —4G **5**
Chalkpit Ter. *Dork* —5J **17**
Challenge Ct. *Lea* —4K **3**
Chanctonbury Chase. *Red* —5C **22**
Chantry Clo. *Asht* —4A **4**
Chantry Hurst. *Eps* —1H **5**
Chapel Ct. *Dork* —6J **17**
Chapel Gro. *Eps* —4C **6**
Chapel La. *Bookh* —6E **8**
Chapel La. *Westc* —1E **24**
Chapel La. *Westh* —1G **19**
Chapel La. Ind. Est. *Dork* —1E **24**
(off Chapel La.)
Chapel Rd. *Red* —5B **22**
Chapel Rd. *Tad* —1C **12**
Chapel Way. *Eps* —4C **6**
Charlwood Clo. *Bookh* —2D **8**
Charlwood Dri. *Oxs* —1F **3**
Charman Rd. *Red* —5A **22**
Chart Clo. *Dork* —2B **26**
Chart Downs. *Dork* —2A **26**
Chartfield Rd. *Reig* —6J **21**
Chart Gdns. *Dork* —3A **26**
Chart La. *Dork* —7K **17**
Chart La. *Reig* —5H **21**
Chart La. S. *Dork* —2B **26**
Chartway. *Reig* —4H **21**
Chartwell Lodge. *Dork* —4K **25**
Chase, The. *Asht* —3A **4**
Chase, The. *Kgswd* —6J **7**
Chase, The. *Oxs* —1E **2**
Chase, The. *Reig* —5K **21**
Chave Croft. *Eps* —4C **6**
Chave Croft Ter. *Eps* —4C **6**
Cheam Clo. *Tad* —6B **6**
Chequers Clo. *Tad* —3A **12**
Chequers Dri. *Tad* —3A **12**
Chequers Pl. *Dork* —7K **17**
Chequers Yd. *Dork* —7K **17**
Cherkley Hill. *Lea* —4A **10**
Cherry Cotts. *Tad* —2B **12**
Cherry Grn. Clo. *Red* —7D **22**
Cherry Orchard. *Asht* —3F **5**
Chester Clo. *Dork* —5A **18**
Chesterton Dri. *Red* —6G **15**
Chestnut Clo. *Red* —7D **22**
Chestnut Clo. *Tad* —1G **13**
Chestnut Mead. *Red* —4A **22**
Chestnut Pl. *Asht* —4C **4**
Chetwode Dri. *Eps* —3D **6**
Chetwode Rd. *Tad* —4C **6**
Cheviot Clo. *Bans* —1H **7**
Chichester Clo. *Dork* —5K **17**
Chichester Rd. *Dork* —4K **17**
Chilberton Dri. *Red* —1E **22**
Childs Hall Clo. *Bookh* —3B **8**
Childs Hall Dri. *Bookh* —3B **8**
Childs Hall Rd. *Bookh* —3B **8**
Chilmans Dri. *Bookh* —3D **8**
Chilmark Gdns. *Red* —7G **15**
Chilmead. *Red* —4B **22**
Chilmead La. *Red* —3F **23**

Chine, The. *Dork* —6K **17**
Chipstead Clo. *Red* —6B **22**
Chipstead La. *Tad & Coul* —3F **13**
Chipstead Rd. *Bans* —2F **7**
Christopher Ct. *Tad* —1C **12**
Chrystie La. *Bookh* —4D **8**
Chucks La. *Tad* —2B **12**
Church Clo. *Fet* —2F **9**
Church Clo. *Tad* —5F **13**
Church Ct. *Reig* —5H **21**
Churchfield Ct. *Reig* —5H **21**
Churchfield Rd. *Reig* —4F **21**
Church Gdns. *Dork* —6K **17**
Church Gdns. *Lea* —5K **3**
Church Hill. *Mers* —4D **14**
Church Hill. *Nutf* —4H **23**
Churchill Clo. *Fet* —1G **9**
Church La. *Cat* —2J **15**
Church La. *Coul* —1D **14**
Church La. *Eps* —2D **6**
Church La. *H'ley* —2G **11**
Church La. Av. *Coul* —1D **14**
Church Path. *Mers* —5D **14**
Church Rd. *Asht* —3B **4**
Church Rd. *Bookh* —1B **8**
Church Rd. *Lea* —7K **3**
Church Rd. *Red* —7A **22**
Church Rd. *Reig* —7G **21**
Church St. *Bet* —6J **19**
Church St. *Dork* —7J **17**
Church St. *Eff* —5A **8**
Church St. *Lea* —7K **3**
(in two parts)
Church St. *Reig* —5G **21**
Church Wlk. *Lea* —7K **3**
Church Wlk. *Reig* —5H **21**
Claireville Ct. *Reig* —4K **21**
Clare Cotts. *Blet* —4K **23**
Clare Cres. *Lea* —3J **3**
Claremont Ct. *Dork* —1K **25**
Claremont Rd. *Red* —2C **22**
Claremount Clo. *Eps* —2C **6**
Claremount Gdns. *Eps* —2C **6**
Clarence Rd. *Red* —1K **29**
Clarence Wlk. *Red* —1K **29**
Clarendon Rd. *Red* —4B **22**
Clare Wood. *Lea* —3K **3**
Claverton. *Asht* —2C **4**
Claygate Rd. *Dork* —2K **25**
Clayhall La. *Reig* —2D **28**
Clayhill Rd. *Leigh* —5A **28**
Clayhill Rd. *Leigh* —7J **27**
Clay La. *H'ley* —2F **11**
Clay La. *S Nut* —6E **22**
Cleardene. *Dork* —7K **17**
Clears Cotts. *Reig* —3E **20**
Clears, The. *Reig* —3E **20**
Cleeve Rd. *Lea* —5H **3**
Cleeves Ct. Red —4C **22**
(off St Anne's Mt.)
Clements Mead. *Lea* —4J **3**
Clifton Pl. *Bans* —1G **7**
Clifton's La. *Reig* —3D **20**
Cliftonville. *Dork* —1K **25**
Clinton Rd. *Lea* —1A **10**
Close, The. *Reig* —6H **21**
Close, The. *Str G* —2G **27**
Clump Av. *Tad* —2G **19**
Clyde Clo. *Red* —4C **22**
Coach Ho. M. *Red* —6B **22**
Coach Rd. *Brock* —6D **18**
Coast Hill. *Westc* —3B **24**
Coast Hill La. *Westc* —2C **24**
Cobham Rd. *Stoke D & Fet* —3C **2**
Cock La. *Fet* —7E **2**
Cockshot Hill. *Reig* —6H **21**
Cockshot Rd. *Reig* —6H **21**
Colcokes Rd. *Bans* —1G **7**
Coldharbour La. *Dork* —6G **25**
Colebrooke Rd. *Red* —3A **22**
Colesmead Rd. *Red* —2B **22**

College Cres. *Red* —2C **22**
Colley La. *Reig* —4E **20**
Colley Mnr. Dri. *Reig* —4D **20**
Colley Way. *Reig* —2E **20**
Colman Clo. *Eps* —2C **6**
Colman Ho. *Red* —3B **22**
Colman Way. *Red* —3A **22**
Common Rd. *Red* —7B **22**
Commonside. *Bookh* —7C **2**
(in two parts)
Common, The. *Asht* —1B **4**
Coneyberry. *Reig* —2J **29**
Conifer Clo. *Reig* —3G **21**
Coniston Way. *Reig* —4A **22**
Connicut La. *Bookh* —6D **8**
Coombe, The. *Bet* —2H **19**
Cooper's Hill Rd. *Nutf* —5J **23**
Copleigh Dri. *Tad* —5E **6**
Copley Clo. *Red* —3A **22**
Copley Way. *Tad* —5D **6**
Copperfield Ct. *Lea* —6J **3**
Copperfields. *Fet* —7E **2**
Coppice La. *Reig* —3F **21**
Copse Rd. *Red* —7K **21**
Copse, The. *Fet* —1D **8**
Copse, The. *S Nut* —7G **23**
Copsleigh Av. *Red* —5C **30**
Copsleigh Clo. *Salf* —4C **30**
Copsleigh Way. *Red* —4C **30**
Copt Hill La. *Tad* —5E **6**
Copthorne Ct. *Lea* —7J **3**
Copthorne Rd. *Lea* —5K **3**
Corfe Clo. *Asht* —3A **4**
Cormongers La. *Nutf* —3F **23**
Cornfield Rd. *Reig* —6J **21**
Corston Hollow. Red —6B **22**
(off Woodlands Rd.)
Cotland Acres. *Red* —7K **21**
Cotmandene. *Dork* —7K **17**
Courtlands Cres. *Bans* —1G **7**
Court Rd. *Bans* —1G **7**
Cowslip La. *Mick* —6J **9**
Coxdean. *Eps* —4C **6**
Crabhill La. *S Nut* —2H **31**
Crabtree Clo. *Bookh* —4E **8**
Crabtree Dri. *Lea* —2A **10**
Crabtree La. *Bookh* —4E **8**
Crabtree La. *H'ley* —4G **11**
Crabtree La. *Westh* —1H **17**
Craddocks Av. *Asht* —2C **4**
Craddocks Pde. *Asht* —2C **4**
(in two parts)
Cradhurst Clo. *Westc* —1E **24**
Crakell Rd. *Reig* —6J **21**
Crampshaw La. *Asht* —4D **4**
Cranston Clo. *Reig* —6H **21**
Cray Av. *Asht* —1C **4**
Crescent Rd. *Blet* —4K **23**
Crescent Rd. *Reig* —7G **21**
Crescent, The. *Lea* —7K **3**
Crescent, The. *Red* —1K **29**
Crescent, The. *Reig* —5H **21**
Cressall Clo. *Lea* —5K **3**
Cressal Mead. *Lea* —5K **3**
Crewe Ct. *Tad* —7C **6**
Cricket Hill. *S Nut* —7H **23**
Crispin Clo. *Asht* —2D **4**
Croffets. *Tad* —6D **6**
Croft Av. *Dork* —5K **17**
Crofton. *Asht* —3C **4**
Cromwell Rd. *Red* —5B **22**
Cromwell Wlk. *Red* —5B **22**
Cronks Hill. *Reig & Red* —7J **21**
Cronks Hill Clo. *Red* —7K **21**
Cronks Hill Rd. *Red* —7K **21**
Crossland Rd. *Red* —7C **22**
Cross Oak La. *Red* —7F **31**
Cross Rd. *Tad* —7C **6**
Crossroads, The. *Eff* —6A **8**
Crossways La. *Reig* —6J **13**
(in three parts)

Crossways, The. *Red* —7E **14**
Crouchfield. *Dork* —3A **26**
Croydon Rd. *Reig* —5H **21**
Cuddington Clo. *Tad* —5C **6**
Culverhay. *Asht* —1C **4**
Cunliffe Clo. *H'ley* —2F **11**
Curtis Gdns. *Dork* —6J **17**
Curtis Rd. *Dork* —6H **17**
Cutting, The. *Red* —7B **22**
Cygnets Clo. *Red* —3C **22**
Cyprus Vs. Dork —7J **17**
(off Junction Rd.)

D'Abernon Dri. *Stoke D* —1A **2**
Dale View. *H'ley* —1H **11**
Damphurst La. *Wott* —5C **24**
Daneshill Clo. *Red* —4A **22**
D'Arcy Pl. *Asht* —2D **4**
D'Arcy Rd. *Asht* —2D **4**
Dawnay Rd. *Bookh* —4D **8**
Daymerslea Ridge. *Lea* —6A **4**
Dayseys Hill. *Out* —7J **31**
Dean Clo. *Tad* —2B **12**
Dean La. *Red* —1D **14**
Deanoak La. *Leigh* —7C **28**
Deans Clo. *Tad* —2B **12**
Deans La. *Nutf* —4J **23**
Dean's La. *Tad* —2B **12**
Deans Rd. *Red* —1E **22**
Dean Wlk. *Bookh* —4D **8**
De Burgh Pk. *Bans* —1H **7**
Deepdene Av. *Dork* —3A **26**
Deepdene Av. Rd. *Dork* —5A **18**
Deepdene Dri. *Dork* —6A **18**
Deepdene Gdns. *Dork* —6A **18**
Deepdene Pk. Rd. *Dork* —6A **18**
Deepdene Roundabout. *Dork*
—6A **18**
Deepdene Vale. *Dork* —6A **18**
Deepdene Wood. *Dork* —7B **18**
Deerings Rd. *Reig* —5H **21**
Deerleap Rd. *Westc* —1D **24**
Delabole Rd. *Red* —7G **15**
Delamere Rd. *Reig* —2H **29**
Delderfield. *Lea* —6B **4**
Dell Clo. *Fet* —1G **9**
Dell Clo. *Mick* —5A **10**
Dell, The. *Reig* —4G **21**
Dell, The. *Tad* —6C **6**
Delves. *Tad* —6D **6**
Denbies Dri. *Dork* —3K **17**
Denefield. *Dork* —2K **25**
Dene Rd. *Asht* —4D **4**
Dene St. *Dork* —7K **17**
Dene St. Gdns. *Dork* —7K **17**
Denfield. *Dork* —2K **25**
Dennis Clo. *Red* —3A **22**
Denton Clo. *Red* —3C **30**
Dents Gro. *Tad* —6F **13**
Derby Arms Rd. *Eps* —2K **5**
Derby Clo. *Eps* —4B **6**
Derby Stables Rd. *Eps* —2J **5**
Devitt Clo. *Asht* —1E **4**
Devon Cres. *Red* —5K **21**
Devon Rd. *Red* —1E **22**
Diamond Ct. Red —4C **22**
(off St Anne's Way)
Diceland Rd. *Bans* —1F **7**
Digdens Rise. *Eps* —1G **5**
Dilston Rd. *Lea* —4J **3**
Ditches La. *Coul & Cat* —1H **15**
Doctors La. *Cat* —1J **15**
Dodds Pk. *Brock* —7F **19**
Dogkennel. *Ran C* —5A **16**
Dome, The. *Red* —4B **22**
Dome Way. *Red* —4B **22**
Donkey La. *Ab C* —7A **24**
Doods Pk. Rd. *Reig* —4J **21**
Doods Pl. *Reig* —4K **21**
Doods Rd. *Reig* —4J **21**

Doods Way. *Reig* —4K **21**
Doran Ct. *Red* —5K **21**
Doran Dri. *Red* —5K **21**
Doran Gdns. *Red* —5K **21**
Dorchester Ct. *Reig* —4K **21**
Doric Dri. *Tad* —5F **7**
Dorking Bus. Pk. *Dork* —6J **17**
Dorking Rd. *Bookh* —4D **8**
Dorking Rd. *Eps* —1E **4**
Dorking Rd. *Lea* —7K **3**
Dorking Rd. *Tad* —7J **11**
Douglas Ho. *Reig* —4G **21**
Douglas Houses. *Bookh* —2C **8**
Dovers Grn. Rd. *Reig* —1H **29**
Dowlans Clo. *Bookh* —5C **8**
Dowlans Rd. *Bookh* —5D **8**
Downland Clo. *Eps* —3B **6**
Downland Gdns. *Eps* —3B **6**
Downland Way. *Eps* —3B **6**
Downs Ct. *Red* —2C **22**
Downs Ho. Rd. *Eps* —3J **5**
Downside Ct. *Mers* —7E **14**
Downs La. *Lea* —1K **9**
Downs Rd. *Eps* —5F **5**
(Headley Rd.)
Downs Rd. *Eps* —1J **5**
(Tattenham Corner Rd.)
Downs Rd. *Mick* —6A **10**
Downs, The. *Lea* —3K **9**
Downs View. *Dork* —5B **18**
Downs View. *Tad* —6B **6**
Downsview Gdns. *Dork* —1K **25**
Downs View Rd. *Bookh* —5E **8**
Downs Way. *Bookh* —4E **8**
Downs Way. *Eps* —1K **5**
Downs Way. *Tad* —6B **6**
Downs Way Clo. *Tad* —6A **6**
Downs Wood. *Eps* —2B **6**
Downswood. *Reig* —2K **21**
Drayton Clo. *Fet* —2G **9**
Drift La. *Stoke D* —2B **2**
Driftway, The. *Lea* —1K **9**
(in two parts)
Drive Spur. *Tad* —6H **7**
Drive, The. *Bans* —1F **7**
Drive, The. *Fet* —7G **3**
Drive, The. *Lea* —1D **10**
Drove Rd. *Ran C* —6A **16**
Druids Clo. *Asht* —5D **4**
Duffield Rd. *Tad* —2B **12**
Dukes Ride. *N Holm* —3B **26**
Duncan Rd. *Tad* —4E **6**
Duncroft Clo. *Reig* —4F **21**
Dundrey Cres. *Red* —7G **15**
Dungates La. *Buck* —4A **20**
Dunlin Clo. *Red* —3A **22**
Dunnottar Clo. *Red* —7K **21**
Dunraven Av. *Red* —5D **30**
Dunvegan Ho. *Red* —5B **22**
Durfold Dri. *Reig* —5J **21**
Durleston Pk. Dri. *Bookh* —3E **8**
Dyson Ct. *Dork* —7J **17**

Earlsbrook Rd. *Red* —7B **22**
Earlswood Clo. *Red* —7B **22**
Earlswood Rd. *Red* —7B **22**
Eastfield Rd. *Red* —6E **22**
Eastnor Clo. *Reig* —1F **29**
Eastnor Pl. *Reig* —7G **21**
Eastnor Rd. *Reig* —1G **29**
East Rd. *Reig* —4F **21**
East St. *Bookh* —3D **8**
East Wlk. *Reig* —5H **21**
Eastwick Dri. *Bookh* —1C **8**
Eastwick Pk. Av. *Bookh* —2D **8**
Eastwick Rd. *Bookh* —3D **8**
Ebbisham Clo. *Dork* —7J **17**
Ebbisham La. *Tad* —6K **5**
(in two parts)
Eccleshill. *N Holm* —4A **26**

Edenside Rd. *Bookh* —2B **8**
Edes Field. *Reig* —7E **20**
Edgefield Clo. *Red* —3C **30**
Edgeley. *Bookh* —2A **8**
Effingham Clo. *Eff* —5A **8**
Effingham Rd. *Reig* —6H **21**
Egmont Pk. Rd. *Tad* —3A **12**
Egmont Way. *Red* —4E **6**
Eldersley Clo. *Red* —3B **22**
Elder Way. *N Holm* —4A **26**
Ellington Way. *Eps* —2B **6**
Elm Clo. *Lea* —7K **3**
Elmcroft. *Bookh* —2C **8**
Elm Dri. *Lea* —1K **9**
Elmer Cotts. *Fet* —1J **9**
Elmer M. *Fet* —7J **3**
Elmfield. *Bookh* —1C **8**
Elm Gdns. *Eps* —4C **6**
Elmhurst Dri. *Dork* —2K **25**
Elm Rd. *Lea* —7K **3**
Elm Rd. *Red* —5A **22**
Elmshorn. *Eps* —1C **6**
Elmswood. *Bookh* —2B **8**
Elmwood Clo. *Asht* —2B **4**
Elmwood Ct. *Asht* —2B **4**
Elmwood Rd. *Red* —1C **22**
Emerton Rd. *Fet* —6E **2**
Emlyn La. *Lea* —7J **3**
Emlyn Rd. *Red* —7C **22**
Empire Vs. *Red* —7C **30**
Endsleigh Rd. *Red* —7E **14**
Epsom Downs Metro Cen. *Red*
　　　　　　　　　　—5B **6**
Epsom La. N. *Eps & Tad* —3B **6**
Epsom La. S. *Tad* —6C **6**
Epsom Rd. *Asht* —3D **4**
Epsom Rd. *Lea* —6K **3**
Ermyn Clo. *Lea* —6B **4**
Ermyn Way. *Lea* —6B **4**
Estate Cotts. *Mick* —5B **10**
Evelyn Way. *Stoke D* —1B **2**
Eversfield Rd. *Reig* —5H **21**
Evesham Clo. *Reig* —4F **21**
Evesham Rd. *Reig* —4F **21**
Evesham Rd. N. *Reig* —4F **21**
Eyhurst Clo. *Kgswd* —1F **13**
Eyhurst Spur. *Tad* —2F **13**

Facade, The. *Reig* —4G **21**
Fairacres. *Tad* —6C **6**
Fairfax Av. *Red* —4A **22**
Fairfield Clo. *Dork* —5A **18**
Fairfield Cotts. *Bookh* —3D **8**
Fairfield Dri. *Red* —5K **17**
Fairfield Rd. *Lea* —6K **3**
Fairfield Wlk. Lea —6K 3
　　(off Fairfield Rd.)
Fairford Clo. *Reig* —3J **21**
Fairhaven Rd. *Red* —1C **22**
Fairholme Cres. *Asht* —2A **4**
Fair La. *Coul* —3J **13**
Fairlawn. *Bookh* —2B **8**
Fairlawn Dri. *Red* —7A **22**
Fairmile La. *Cobh* —1A **2**
Fairs Rd. *Lea* —4J **3**
Fairway, The. *Lea* —3J **3**
Falkland Gdns. *Dork* —1J **25**
Falkland Gro. *Dork* —1J **25**
Falkland Rd. *Dork* —1J **25**
Farm Clo. *Fet* —2F **9**
Farm La. *Asht & Eps* —2E **4**
Farm View. *Lwr K* —5F **13**
Felland Way. *Reig* —2K **29**
Feltham Rd. *Red* —3B **30**
Feltham Wlk. *Red* —3B **30**
Fengates Rd. *Red* —5A **22**
Fenton Clo. *Red* —5C **22**
Fenton Rd. *Red* —5C **22**
Ferndale Rd. *Bans* —1F **7**
Fernlea. *Bookh* —2D **8**

Ferriers Way. *Eps* —3C **6**
Fetcham Comn. La. *Fet* —6D **2**
Fetcham Pk. Dri. *Fet* —1G **9**
Fife Way. *Bookh* —3C **8**
Fiona Clo. *Bookh* —2C **8**
Firs Clo. *Dork* —2J **25**
First Slip. *Lea* —3J **3**
Fir Tree Clo. *Lea* —1A **10**
Fir Tree Rd. *Eps* —1B **6**
Fir Tree Rd. *Lea* —1A **10**
Fir Tree Wlk. *Reig* —5K **21**
Flanchford Rd. *Reig* —4A **28**
Fleetwood Clo. *Tad* —5D **6**
Flint Clo. *Bookh* —4E **8**
Flint Clo. *Red* —4B **22**
Flint Hill. *Dork* —2K **25**
Flint Hill Clo. *Dork* —3K **25**
Floral Ct. *Asht* —3A **4**
Forest Clo. *Asht* —1E **4**
Forest Dri. *Kgswd* —6G **7**
Forest Way. *Asht* —2E **4**
Fort La. *Reig* —1H **21**
Fort Rd. *Tad* —2F **19**
Forty Foot Rd. *Lea* —6A **4**
　　(in two parts)
Fountain Rd. *Red* —7A **22**
Fourfield Clo. *Eps* —7G **5**
Fox Covert. *Fet* —2F **9**
Fox La. *Bookh* —2A **8**
Fox La. *Ran C* —5D **16**
Foxley Clo. *Red* —3C **30**
Fraser Gdns. *Dork* —6J **17**
Frenches Ct. *Red* —3C **22**
Frenches Rd. *Red* —3C **22**
Frenches, The. *Red* —3C **22**
Frensham Way. *Eps* —1C **6**
Friars Orchard. *Fet* —6F **3**
Friday St. Rd. *Dork* —7A **24**
Friths Dri. *Reig* —2H **21**
Fulbourne Clo. *Red* —3A **22**
Fullers Wood La. *S Nut* —6E **22**
Furlong Rd. *Westc* —1E **24**
Furze Clo. *Red* —4B **22**
Furzefield Cres. *Reig* —7J **21**
Furzefield Rd. *Reig* —7J **21**
Furze Gro. *Tad* —6F **7**
Furze Hill. *Kgswd* —5F **7**
Furze Hill. *Red* —4A **22**

Gable Ct. *Red* —4C **22**
　　(off St Anne's Mt.)
Gables, The. *Bans* —2F **7**
Gadbrook Rd. *Bet* —4G **27**
Gale Cres. *Bans* —2G **7**
Garden Clo. *Lea* —3A **10**
Gardener's Wlk. *Bookh* —4D **8**
Gardenfields. *Tad* —4E **6**
Garden Wlk. *Coul* —1D **14**
Garibaldi Rd. *Red* —6B **22**
Garlands Rd. *Lea* —6K **3**
Garlands Rd. *Red* —6B **22**
Garlichill Rd. *Eps* —2B **6**
Garrard Rd. *Bans* —1G **7**
Garratts La. *Bans* —1F **7**
Garside Clo. *Dork* —2B **26**
Garstons, The. *Bookh* —3C **8**
Garth Ct. *Dork* —2K **25**
Gatesden Rd. *Fet* —1E **8**
Gatton Bottom. *Reig* —7K **13**
Gatton Clo. *Reig* —2J **21**
Gatton Pk. Bus. Cen. *Red* —7D **14**
Gatton Pk. Ct. *Reig* —1B **22**
Gatton Pk. Rd. *Reig* —3K **21**
Gatton Rd. *Reig* —3J **21**
Gaveston Rd. *Lea* —5J **3**
Gayton Clo. *Asht* —3C **4**
Gayton Ct. *Reig* —4G **21**
Gaywood Rd. *Asht* —3D **4**
Gerrards Mead. *Bans* —1F **7**
Gilmais. *Bookh* —3E **8**

Givons Gro. Roundabout. *Lea*
　　　　　　　　　　—2K **9**
Glade Spur. *Tad* —6H **7**
Glade, The. *Fet* —7D **2**
Glade, The. *Tad* —6H **7**
Gladstone Rd. *Asht* —3B **4**
Glebe Clo. *Bookh* —4C **8**
Glebe La. *Ab C* —7A **24**
Glebe Rd. *Asht* —3B **4**
Glebe Rd. *Dork* —7H **17**
Glebe Rd. *Red* —2D **14**
Glebe, The. *Leigh* —5A **28**
Gledhow Wood. *Tad* —6H **7**
Glen Clo. *Tad* —1E **12**
Glenfield Clo. *Brock* —2F **27**
Glenfield Rd. *Brock* —1F **27**
Glenheadon Clo. *Lea* —1B **10**
Glenheadon Rise. *Lea* —1B **10**
Glen, The. *Red* —7B **22**
Glenwood. *Dork* —2A **26**
Glory Mead. *Dork* —3A **26**
Gloucester Rd. *Red* —4B **22**
Glover's Rd. *Reig* —6H **21**
Goldstone Farm View. *Bookh*
　　　　　　　　　　—5C **8**
Goodwood Rd. *Red* —3B **22**
Goodwyns Pl. *Dork* —2K **25**
Goodwyns Rd. *Dork* —3A **26**
Gordon Ct. Red —7B 22
　　(off St John's Ter. Rd.)
Gordon Rd. *Red* —2C **22**
Gorse Clo. *Tad* —5B **6**
Grandstand Rd. *Eps* —2K **5**
Grange Clo. *Lea* —5B **4**
Grange Clo. *Mers* —6D **14**
Grange Ct. *Mers* —6D **14**
Grange Dri. *Mers* —6D **14**
Grange Mt. *Lea* —5B **4**
Grange Rd. *Lea* —5B **4**
Grantwood Clo. *Red* —3C **30**
Gravel Hill. *Lea* —6K **3**
Gray's La. *Asht* —4D **4**
Gt. Ellshams. *Bans* —1G **7**
Greathurst End. *Bookh* —2B **8**
Gt. Tattenhams. *Eps* —3B **6**
Greenacres. *Bookh* —2D **8**
Green Curve. *Bans* —1F **7**
Green Hayes Clo. *Reig* —5J **21**
Green La. *Asht* —4D **4**
Green La. *Lea* —6B **4**
　　(in two parts)
Green La. *Leigh* —7J **27**
Green La. *Out* —5G **31**
Green La. *Red* —3A **22**
Green La. *Reig* —5F **21**
Green La. *Salf* —3C **30**
Green La. *Tad & Coul* —4F **13**
Green La. Cvn. Pk. *Red* —5G **31**
Greensand Clo. *Red* —6F **15**
Greensand Rd. *Red* —4C **22**
Greenslade Av. *Asht* —4F **5**
Green, The. *Bet* —4A **20**
Green, The. *Bur H* —4E **6**
Green, The. *Fet* —2F **9**
Greenway. *Bookh* —1D **8**
Green Way. *Red* —3A **22**
Greenways. *Tad* —3B **12**
Greenwood Dri. *Red* —3C **30**
Greville Clo. *Asht* —4C **4**
Greville Ct. *Asht* —3C **4**
Greville Pk. Av. *Asht* —3C **4**
Greville Pk. Rd. *Asht* —3C **4**
Greystones Clo. *Red* —7K **21**
Greystones Dri. *Reig* —3J **21**
Griffin Ct. *Asht* —4C **4**
Griffin Ct. *Bookh* —4D **8**
Griffin Way. *Bookh* —4C **8**
Grosvenor Rd. *Eps* —4H **5**
Grove Corner. *Bookh* —4D **8**
Grovehill Rd. *Red* —5B **22**

Grove Ho. *Red* —5B **22**
　　(off Huntingdon Rd.)
Grove Rd. *Asht* —3D **4**
Grove Shaw. *Tad* —2E **12**
Groveside. *Bookh* —5C **8**
Groveside Clo. *Bookh* —5C **8**
Guildford Rd. *Ab H* —4A **24**
Guildford Rd. *Eff & Bookh* —6A **8**
Guildford Rd. *Fet* —3F **9**
Guildford Rd. *Westc* —2D **24**
Gurney's Clo. *Red* —6B **22**

Haigh Cres. *Red* —7D **22**
Hale Pit Rd. *Bookh* —4E **8**
Hales Oak. *Bookh* —4E **8**
Hambledon Hill. *Eps* —1G **5**
Hambledon Pl. *Bookh* —1C **8**
Hambledon Vale. *Eps* —1G **5**
Hamilton Ct. *Bookh* —3D **8**
Hampstead La. *Dork* —1H **25**
Hampstead Rd. *Dork* —1J **25**
Hampton Rd. *Red* —3B **30**
Handinhand La. *Tad* —1G **19**
Hanover Clo. *Red* —6E **14**
Hanover Ct. *Dork* —7H **17**
Hanworth Rd. *Red* —3B **30**
Harding Rd. *Eps* —4J **5**
Hardwick Clo. *Oxs* —1E **2**
Hardwicke Rd. *Reig* —4G **21**
Hardwick Rd. *Red* —7K **21**
Hardy Clo. *N Holm* —4K **25**
Harecroft. *Dork* —3A **26**
Harecroft. *Fet* —2D **8**
Harendon. *Tad* —6C **6**
Harewood Rd. *Reig* —2J **21**
Harkness Clo. *Eps* —1C **6**
Harlow Ct. Reig —5K 21
　　(off Wray Comn. Rd.)
Harps Oak La. *Red* —3B **14**
Harpurs. *Tad* —7D **6**
Harrington Clo. *Leigh* —5A **28**
Harriott's Clo. *Asht* —5A **4**
Harriott's La. *Asht* —4A **4**
Harrison Clo. *Reig* —6H **21**
Harrow Clo. *Dork* —1J **25**
Harrowgate Gdns. *Dork* —2K **25**
Harrowlands Pk. *Dork* —1K **25**
Harrow Rd. E. *Dork* —2K **25**
Harrow Rd. W. *Dork* —1J **25**
Hart Gdns. *Dork* —6K **17**
Hartington Pl. *Reig* —3G **21**
Hart Rd. *Dork* —6K **17**
Hartspiece Rd. *Red* —7C **22**
Hartswood. *N Holm* —3B **26**
Hartswood Av. *Reig* —2G **29**
Harwood Pk. *Red* —7C **30**
Hatch Gdns. *Tad* —5D **6**
Hatchlands Rd. *Red* —5A **22**
Hatch La. *Red* —6H **31**
Hatfield Rd. *Asht* —4D **4**
Hathaway Ct. Red —4C 22
　　(off St Anne's Rise)
Hatherwood. *Lea* —6B **4**
Havenbury Est. *Dork* —6J **17**
Hawes Rd. *Tad* —5D **6**
Hawks Hill Clo. *Fet* —1H **9**
Hawkwood Dell. *Bookh* —4C **8**
Hawkwood Rise. *Bookh* —4C **8**
Hawthorn Clo. *Red* —3C **30**
Hawthorn Way. *Red* —6D **22**
Hayes, The. *Eps* —4J **5**
Hazel Clo. *Reig* —7J **21**
Hazelmere Clo. *Lea* —4K **3**
Hazel Pde. *Fet* —7E **2**
Hazel Rd. *Reig* —7J **21**
Hazel Wlk. *N Holm* —3A **26**
Hazel Way. *Fet* —7E **2**
Hazelwood. *Dork* —1K **25**
Headley Comn. Rd. *H'ley* —4H **11**
Headley Ct. *H'ley* —1F **11**

London Rd. S. *Mers* —1C **22**
Lonesome La. *Reig* —2H **29**
Long Copse Clo. *Bookh* —1D **8**
Longdown La. S. *Eps* —1A **6**
Longfield Cres. *Tad* —5C **6**
Longfield Rd. *Dork* —1H **25**
Longmeadow. *Bookh* —3B **8**
Longmere Gdns. *Tad* —4C **6**
Long Shaw. *Lea* —5J **3**
Long Wlk. *Eps* —4C **6**
Lonsdale Dri. *Bookh* —6K **17**
Loop Rd. *Eps* —1G **5**
Loraine Gdns. *Asht* —2C **4**
Lordsgrove Clo. *Tad* —5B **6**
Lorian Dri. *Reig* —4J **21**
Lorne, The. *Bookh* —4C **8**
Lothian Wood. *Tad* —7B **6**
Lovelands La. *Tad* —5H **13**
Love La. *Tad* —4K **11**
Lowburys. *Dork* —3K **25**
Lwr. Bridge Rd. *Red* —5B **22**
Lower Rd. *Bookh & Fet* —3C **8**
Lower Rd. *Eff* —5A **8**
Lower Rd. *Red* —7K **21**
Lwr. Shott. *Bookh* —4C **8**
Lusteds Clo. *Dork* —3A **26**
Lye, The. *Tad* —1C **12**
Lymden Gdns. *Reig* —6H **21**
Lyme Regis Rd. *Bans* —2F **7**
Lyndale Ct. *Red* —2C **22**
Lyndale Rd. *Red* —2C **22**
Lyndhurst Rd. *Reig* —1G **29**
Lyndhurst Vs. *Red* —2C **22**
Lynn Wlk. *Reig* —1H **29**
Lynsey Wlk. *Bookh* —4C **8**
Lynwood Rd. *Red* —3C **22**
Lyons Ct. *Dork* —7K **17**
Lyonsdene. *Tad* —5F **13**
Lywood Clo. *Tad* —7C **6**

Mabbotts. *Tad* —6D **6**
Mackrells. *Red* —1J **29**
Maddox La. *Bookh* —7A **2**
(in two parts)
Maddox Pk. *Bookh* —1A **8**
Madeira Wlk. *Reig* —4K **21**
Magazine Pl. *Lea* —7K **3**
Magnolia Way. *N Holm* —3B **26**
Main Rd. *Buck* —4A **20**
Main Rd. *Reig* —4C **20**
Mallard Clo. *Red* —2C **22**
Mallow Clo. *Tad* —5B **6**
Malmstone Av. *Red* —6E **14**
Mannamead. *Eps* —4J **5**
Mannamead Clo. *Eps* —4J **5**
Manor Gdns. *Eff* —6A **8**
Manorhouse La. *Bookh* —4A **8**
Manor La. *Tad* —7G **13**
Manor Rd. *Red* —7E **14**
Manor Rd. *Reig* —3F **21**
Manor Way. *Oxs* —1E **2**
Mansfield Dri. *Red* —6F **15**
Maple Dri. *Red* —4B **30**
Maplehurst. *Lea* —1F **9**
Maple Rd. *Asht* —4B **4**
Maple Rd. *Red* —2B **30**
Marbles Way. *Tad* —4D **6**
Margery Gro. *Tad* —7E **12**
Margery La. *Tad* —7F **13**
Markedge La. *Coul & Red*
—2B **14**
Marketfield Rd. *Red* —4B **22**
Marketfield Way. *Red* —5B **22**
Mark Oak La. *Fet* —7C **2**
Marks St. *Red* —4B **22**
Marlborough Ct. *Dork* —7K **17**
Marlborough Hill. *Dork* —7K **17**
Marlborough Rd. *Dork* —7K **17**
Marld, The. *Asht* —3D **4**
Marley Rise. *Dork* —3J **25**

Martineau Dri. *Dork* —2K **25**
Mason's Bri. Rd. *Red* —3D **30**
Masons Paddock. *Dork* —5J **17**
Matthew Rd. *Bans* —2F **7**
Matthews St. *Reig* —2G **29**
Maybury Clo. *Tad* —4E **6**
Mayell Clo. *Lea* —1A **10**
Mayfield Clo. *Red* —4C **30**
Mayfield Ct. *Red* —3B **30**
Mead Av. *Red* —6C **30**
Mead Clo. *Red* —2C **22**
Mead Cres. *Bookh* —3C **8**
Meade Ct. *Tad* —2A **12**
Mead End. *Asht* —2D **4**
Meadowbrook Rd. *Dork* —6J **17**
Meadow La. *Fet* —7E **2**
Meadow Rd. *Asht* —2C **4**
Meadowside. *Bookh* —1C **8**
Meadow Wlk. *Tad* —2B **12**
Meadow Way. *Bookh* —1D **8**
Meadow Way. *Reig* —2H **29**
Meadow Way. *Tad* —2E **6**
Mead, The. *Asht* —4C **4**
Mead, The. *Dork* —3A **26**
Meadway. *Eff* —6A **8**
Meare Clo. *Tad* —1C **12**
Meath Grn. La. *Horl* —7A **30**
Mede Field. *Fet* —2F **9**
Melton Rd. *Red* —1E **22**
Melvinshaw. *Lea* —6A **4**
Meon Clo. *Tad* —7B **6**
Merefield Gdns. *Tad* —4D **6**
Mere Rd. *Tad* —2B **12**
Merland Clo. *Tad* —5C **6**
Merland Grn. *Tad* —5C **6**
Merland Rise. *Eps & Tad* —4C **6**
Merrylands Rd. *Bookh* —2B **8**
Merrywood Gro. *Tad* —1E **20**
Merrywood Pk. *Reig* —3H **21**
Merrywood Pk. *Tad* —1F **19**
Merstham Rd. *Blet* —7J **15**
Merton Gdns. *Tad* —4D **6**
Merton Wlk. *Lea* —3J **3**
Merton Way. *Lea* —4J **3**
Mews, The. *Reig* —4H **21**
Michelham Gdns. *Tad* —5C **6**
Mickleham By-Pass. *Mick* —6K **9**
Mickleham Dri. *Mick* —4A **10**
Middle Grn. *Bookh* —7F **19**
Middlemead Clo. *Bookh* —3C **8**
Middlemead Rd. *Bookh* —3B **8**
Middle Rd. *Lea* —6K **3**
Middle St. *Bet* —6F **19**
Mid Holmwood La. *Mid H* —6K **25**
Mid St. *S Nut* —1H **31**
Miena Way. *Asht* —2B **4**
Milburn Wlk. *Eps* —1J **5**
Mill Clo. *Bookh* —2C **8**
Mill Ct. *Red* —2F **23**
Millers Copse. *Eps* —4H **5**
Millers Copse. *Red* —7K **31**
Miller's La. *Out* —7K **31**
Millfield La. *Tad* —3F **13**
Millhedge Clo. *Cobh* —1A **2**
Mill Hill. *Bet* —6G **19**
Mill Hill La. *Brock* —5F **19**
Mill La. *Dork* —6K **17**
Mill La. *Fet* —7J **3**
Mill La. *Red* —2E **22**
Mill Rd. *Holmw* —7C **26**
Mill Rd. *Tad* —1D **12**
Millstead Clo. *Tad* —7B **6**
Mill St. *Red* —6A **22**
Mill View Clo. *Reig* —3K **21**
Mill Way. *Dork* —2D **10**
Mill Way. *Reig* —5K **21**
Milton Av. *Westc* —1F **25**
Milton Ct. *Dork* —7G **17**
Miltoncourt La. *Dork* —7G **17**
Milton St. *Westc* —1F **25**
Milton Way. *Fet* —3E **8**

Minchin Clo. *Lea* —7J **3**
Minley Ct. *Reig* —4G **21**
Mint Gdns. *Dork* —6J **17**
Mint La. *Lwr K* —7G **13**
Mint Rd. *Bans* —1J **7**
Moat Ct. *Asht* —2C **4**
Moats La. *S Nut* —5G **31**
Mogador Rd. *Tad* —6E **12**
Mole Bus. Pk. *Lea* —6H **3**
Mole Rd. *Fet* —1G **9**
Mole Valley Pl. *Asht* —4B **4**
Monks Ct. *Reig* —5H **21**
Monks Grn. *Fet* —6E **2**
Monks Rd. *Bans* —1G **7**
Monk's Wlk. *Reig* —5H **21**
Monkswell La. *Coul* —2H **13**
Monson Rd. *Red* —2B **22**
Montfort Rise. *Red* —6B **30**
Montrouge Cres. *Eps* —1C **6**
Moore's Rd. *Dork* —6K **17**
Morden Clo. *Tad* —5D **6**
Morris Rd. *S Nut* —7G **23**
Morston Clo. *Tad* —5B **6**
Morton. *Tad* —6D **6**
Mostyn Ter. *Red* —6C **22**
Motts Hill La. *Tad* —1A **12**
Mount Av. *Cat* —2K **15**
Mount Clo. *Fet* —1G **9**
Mount Dri., The. *Reig* —3K **21**
Mt. Pleasant. *Eff* —6A **8**
Mount Rise. *Red* —7K **21**
Mount St. *Dork* —7J **17**
Mount, The. *Fet* —2G **9**
Mount, The. *Tad* —4F **13**
Mountview Clo. *Red* —7A **22**
Mountview Dri. *Red* —7A **22**
Mowbray Gdns. *Dork* —5K **17**
Murrell's Wlk. *Bookh* —1C **8**
Murreys Ct. *Asht* —3B **4**
Murreys, The. *Asht* —4B **4**
Mynthurst. *Leigh* —7B **28**
Myrtle Rd. *Dork* —6J **17**

Nailsworth Cres. *Red* —7F **15**
Nash Dri. *Red* —3B **22**
Nash Gdns. *Red* —3B **22**
Netherleigh Pk. *S Nut* —1G **31**
Netherne La. *Coul* —1E **14**
New Battlebridge La. *Red* —1D **22**
New Causeway. *Reig* —1H **29**
Newdigate Rd. *Leigh* —5J **27**
Newenham Rd. *Bookh* —4C **8**
New Ho. La. *Red* —6F **31**
New N. Rd. *Reig* —1F **29**
New Rd. *Dork* —1B **26**
New Rd. *Tad* —1C **12**
Newton Wood Rd. *Asht* —1D **4**
Nightingale Ct. *Red* —4C **22**
(off St Anne's Mt.)
Noke Dri. *Red* —4C **22**
Noons Corner Rd. *Dork* —7B **24**
Norbury Rd. *Reig* —5F **21**
Norbury Way. *Bookh* —3E **8**
Norfolk Ct. *Dork* —4B **26**
Norfolk La. *Mid H* —6K **25**
Norfolk Rd. *Dork* —7J **17**
Nork Rise. *Bans* —1D **6**
Nork Way. *Bans* —1C **6**
North Acre. *Bans* —1F **7**
North Clo. *N Holm* —4A **26**
Northfields. *Asht* —3C **4**
North Mead. *Red* —2B **22**
North Rd. *Reig* —1F **29**
N. Station App. *S Nut* —7H **23**
North St. *Dork* —7J **17**
North St. *Lea* —6J **3**
North St. *Red* —4B **22**
N. View Cres. *Eps* —2C **6**
Norwood Clo. *Eff* —6A **8**
Norwood Rd. *Eff* —6A **8**

Nower Rd. *Dork* —7J **17**
Nuns Wlk. *Ran C* —1D **16**
Nursery Clo. *Tad* —3B **12**
Nursery Rd. *Tad* —3A **12**
Nutcombe La. *Dork* —7H **17**
Nutcroft Gro. *Fet* —6G **3**
Nutfield Marsh Rd. *Nutf* —2F **23**
Nutfield Rd. *Mers* —7E **14**
Nutfield Rd. *Red* —5D **22**
Nuthatch Gdns. *Reig* —2J **29**
Nutley Ct. *Reig* —5F **21**
Nutley Gro. *Reig* —5G **21**
Nutley La. *Reig* —4F **21**
Nutwood Av. *Brock* —6G **19**
Nutwood Clo. *Brock* —6G **19**
Nyefield Pk. *Tad* —4A **12**

Oakbank. *Fet* —1F **9**
Oakdene. *Tad* —5E **6**
Oakdene Clo. *Bookh* —5E **8**
Oakdene Clo. *Brock* —7G **19**
Oakdene Rd. *Bookh* —2B **8**
Oakdene Rd. *Brock* —7F **19**
Oakdene Rd. *Red* —5B **22**
Oaken Coppice. *Asht* —4E **4**
Oakfield Dri. *Reig* —3H **21**
Oakfield Rd. *Asht* —2B **4**
Oak Hill. *Eps* —1H **5**
Oakhill Clo. *Asht* —3A **4**
Oakhill Rd. *Asht* —3A **4**
Oakhill Rd. *Reig* —6H **21**
Oaklands. *Fet* —2F **9**
Oaklands Dri. *Red* —7D **22**
Oaklands Way. *Tad* —7C **6**
Oak La. *Dork* —7K **25**
Oaklawn Rd. *Lea* —3G **3**
Oakley Ct. *Red* —4C **22**
(off St Anne's Rise)
Oaklodge Dri. *Red* —6C **30**
Oak Ridge. *Dork* —3K **25**
Oak Rd. *Cobh* —1A **2**
Oak Rd. *Lea* —3J **3**
Oak Rd. *Reig* —4H **21**
Oaks Clo. *Lea* —6J **3**
Oaks La. *Mid H* —7K **25**
Oaks Rd. *Reig* —4K **21**
Oaks, The. *Dork* —3K **25**
Oaks Way. *Eps* —4B **6**
Oak Way. *Asht* —1E **4**
Oak Way. *Reig* —6K **21**
Oakwood Clo. *Red* —5C **22**
Oakwood Clo. *S Nut* —7H **23**
Oakwood Rd. *Mers* —7J **15**
Oatfield Rd. *Tad* —5B **6**
Oatlands Rd. *Tad* —4E **6**
Observatory Wlk. *Red* —5B **22**
Old Barn Rd. *Eps* —2G **5**
Old Bury Hill Ho. *Dork* —2G **25**
Old Char Wharf. *Dork* —6H **17**
Old Ct. *Asht* —4C **4**
Oldfield Gdns. *Asht* —3B **4**
Old Kiln La. *Brock* —6G **19**
Old London Rd. *Eps* —3A **6**
Old London Rd. *Mick* —5A **10**
Old Mill La. *Red* —6D **14**
Old Pottery Clo. *Reig* —7H **21**
Old Rectory Clo. *Tad* —2A **12**
Old Redstone Dri. *Red* —6C **22**
Old Reigate Rd. *Bet* —5F **19**
Old Reigate Rd. *Dork* —5C **18**
Old Rd. *Buck* —5J **19**
Old School La. *Brock* —1F **27**
Old Sta. App. *Lea* —6J **3**
Orchard Bus. Cen. *Red* —7C **30**
Orchard Cvn. Site, The. *Tad*
—1F **19**
Orchard Clo. *Fet* —7F **3**
Orchard Clo. *Lea* —4H **3**
Orchard Dri. *Asht* —5B **4**
Orchard End. *Fet* —2E **8**

Orchard Farm Cvn. Site—Rural Way

Orchard Farm Cvn. Site. *Red*
—7H **31**
Orchard Gdns. *Eff* —6A **8**
Orchard Leigh. *Lea* —7K **3**
Orchard Rd. *Dork* —1K **25**
Orchard Rd. *Reig* —5H **21**
Orchard, The. *Bans* —1G **7**
Orchard, The. *N Holm* —4A **26**
Orchard Way. *Dork* —1K **25**
Orchard Way. *Reig* —1H **29**
Orchard Way. *Tad* —4F **13**
Orewell Gdns. *Reig* —7H **21**
Ormside Way. *Red* —2D **22**
Orpin Rd. *Red* —1D **22**
Osborne Rd. *Red* —2C **22**
Osprey Clo. *Fet* —7E **2**
Oswald Clo. *Fet* —7E **2**
Oswald Rd. *Fet* —7E **2**
Otter Meadow. *Lea* —4H **3**
Ottway's Av. *Asht* —4B **4**
Ottways La. *Asht* —5B **4**
Outwood La. *Tad & Coul* —7H **7**
Overdale. *Asht* —1C **4**
Overdale. *Blet* —4K **23**
Overdale. *Dork* —6B **18**
Oveton Way. *Bookh* —4D **8**
Owen Pl. *Lea* —7K **3**
Oxford Rd. *Red* —4A **22**
Oxshott Rd. *Lea* —1G **3**
Oxshott Way. *Cobh* —1A **2**

Pachesham Dri. *Oxs* —1H **3**
Pachesham Pk. *Lea* —1J **3**
Paddocks Clo. *Asht* —3C **4**
Paddocks, The. *Bookh* —4D **8**
Paddocks Way. *Asht* —3C **4**
Paddock, The. *Westc* —1D **24**
Palmer Clo. *Red* —6C **22**
Paper M. *Dork* —6K **17**
Parade, The. *Red* —6C **22**
Parade, The. *Tad* —4E **6**
Park Av. *Red* —6B **30**
Park Clo. *Fet* —2F **9**
Park Clo. *Str G* —3F **27**
Park Copse. *Dork* —7B **18**
Park Dri. *Asht* —3E **4**
Parker's Clo. *Asht* —4C **4**
Parker's Hill. *Asht* —4C **4**
Parker's La. *Asht* —4C **4**
Parkgate Rd. *Reig* —6H **21**
Park Grn. *Bookh* —2C **8**
Park Hall Rd. *Reig* —3G **21**
Park Ho. Dri. *Reig* —7F **21**
Parklands. *Bookh* —1C **8**
Parklands. *Red* —3C **22**
Park La. *Asht* —3D **4**
Park La. E. *Reig* —1F **29**
Parkpale La. *Bet* —3E **26**
Park Rise. *Lea* —6K **3**
Park Rise Clo. *Lea* —6K **3**
Park Rd. *Asht* —3C **4**
Park Rd. *Bans* —1J **7**
Park Rd. *Red* —3B **22**
Park, The. *Bookh* —2C **8**
Park, The. *Dork* —2J **25**
Park View. *Bookh* —3C **8**
Park View Rd. *Red* —5C **30**
Park Wlk. *Asht* —4D **4**
Park Way. *Bookh* —1C **8**
Parkway. *Dork* —6J **17**
Park Wood Clo. *Bans* —1D **6**
Park Wood Rd. *Bans* —1D **6**
Parkwood Rd. *Nutf* —4G **23**
Park Wood View. *Bans* —1D **6**
Park Works Rd. *Red* —4G **23**
Parr Clo. *Lea* —5H **3**
Parris Croft. *Dork* —3A **26**
Parsonage Clo. *Westc* —2E **24**
Parsonage La. *Westc* —1E **24**

Parsonage Sq. *Dork* —7J **17**
(off Station Rd.)
Parsonsfield Clo. *Bans* —1D **6**
Parsonsfield Rd. *Bans* —1D **6**
Parthia Clo. *Tad* —4B **6**
Partridge Mead. *Bans* —1C **6**
Paul's Pl. *Asht* —4F **5**
Pavilion, The. *Reig* —3A **22**
Peacock Ter. *Red* —4B **22**
Peacock Wlk. *Dork* —1J **25**
Pear Tree Hill. *Salf* —7C **30**
Pebble Clo. *Tad* —7J **11**
Pebble Hill Rd. *Bet* —7J **11**
Pebble La. *Lea & Eps* —2D **10**
Pebworth Ct. *Red* —3C **22**
Pelham Way. *Bookh* —4E **8**
Pembroke Clo. *Bans* —2H **7**
Pendell Rd. *Blet* —2K **23**
Pendleton Clo. *Red* —6B **22**
Pendleton Rd. *Reig & Red* —1J **29**
Penrith Clo. *Reig* —4A **22**
Penrose Rd. *Fet* —7E **2**
Pepys Clo. *Asht* —2E **4**
Perrywood Bus. Pk. *Red* —6D **30**
Petersmead Clo. *Tad* —1C **12**
Petridge Rd. *Red* —3B **30**
Petters Rd. *Asht* —1D **4**
Peyton's Cotts. *Red* —3G **23**
Philanthropic Rd. *Red* —6C **22**
Picketts La. *Red* —6E **30**
Picquets Way. *Bans* —1E **6**
Pigeon Ho. La. *Coul* —3J **13**
Pilgrims Clo. *Westh* —2J **17**
Pilgrims' La. *Cat* —4H **15**
Pilgrims Pl. *Reig* —3G **21**
Pilgrim's Way. *Reig* —3F **21**
Pilgrims Way. *Bookh* —4K **17**
Pilgrims Way Cotts. *Bet* —4G **19**
Pine Dean. *Bookh* —3D **8**
Pine Hill. *Eps* —1H **5**
Pinehurst Clo. *Tad* —7G **7**
Pines, The. *Dork* —1K **25**
Pine Wlk. *Bookh* —3D **8**
Pipers Clo. *Cobh* —1A **2**
Pippbrook Gdns. *Dork* —6K **17**
Pitwood Grn. *Tad* —5C **6**
Pitwood Pk. Ind. Est. *Tad* —5B **6**
Pixham End. *Dork* —4A **18**
Pixham La. *Dork* —4A **18**
Pixholme Gro. *Dork* —5A **18**
Pleasure Pit Rd. *Asht* —3F **5**
Plough Ind. Est. *Lea* —5J **3**
Pointers Hill. *Westc* —2E **24**
Pointers, The. *Asht* —5C **4**
Polesden Rd. *Bookh* —7D **8**
Polesden View. *Bookh* —5D **8**
Pond Farm Clo. *Tad* —2B **12**
Pond Pl. *Asht* —2C **4**
Poplar Av. *Lea* —7K **3**
Poplar Rd. *Lea* —7K **3**
Portland Dri. *Red* —7F **15**
Portland Ho. *Mers* —7E **14**
Portland Rd. *Dork* —6J **17**
Post Ho. La. *Bookh* —3C **8**
Potters Way. *Reig* —2J **29**
Pound Ct. *Asht* —3D **4**
Pound Cres. *Fet* —6F **3**
Pound Rd. *Bans* —2G **7**
Powells Clo. *Dork* —3A **26**
Preston Gro. *Asht* —2A **4**
Preston La. *Tad* —6B **6**
Prices La. *Reig* —1G **29**
Prince Albert Sq. *Red* —3C **30**
Prince of Wales Rd. *Out* —6J **31**
Prince's Rd. *Red* —7B **22**
Princess Ho. *Red* —4C **22**
Princess Way. *Red* —4C **22**
Priors Mead. *Bookh* —3E **8**
Priors, The. *Asht* —4B **4**
Priory Clo. *Dork* —2J **25**
Priory Dri. *Reig* —7G **21**

Priory Rd. *Reig* —7G **21**
Priory, The. *Lea* —7K **3**
Proctor Gdns. *Bookh* —3D **8**
Proffits Cotts. *Tad* —7D **6**
Prossers. *Tad* —6D **6**
Puddenhole Cotts. *Bet* —4E **18**
Punchbowl La. *Dork* —6B **18**
Purbeck Clo. *Red* —6F **15**
Purcell's Clo. *Asht* —3D **4**

Quality St. *Red* —6D **14**
Quarry Cotts. *Reig* —2H **21**
Quarry Hill Pk. *Reig* —2J **21**
Quarry, The. *Bet* —3H **19**
Queen Anne's Gdns. *Lea* —6K **3**
Queen Anne's Ter. *Lea* —6K **3**
Queens Clo. *Tad* —2A **12**
Queens Ct. *Red* —4C **22**
(off St Anne's Way)
Queen's Cres. *Dork* —1J **25**
Queensway. *Red* —4B **22**
Quennell Clo. *Asht* —4D **4**

Radbroke. *Lea* —7A **4**
Radnor Ct. *Red* —5A **22**
Radolphs. *Tad* —7D **6**
Radstock Way. *Red* —6F **15**
Raglan Clo. *Reig* —3K **21**
Raglan Rd. *Reig* —2H **21**
Ralliwood Rd. *Asht* —4E **4**
Randal Cres. *Reig* —7G **21**
Randall Farm La. *Lea* —4J **3**
Randalls Cres. *Lea* —5J **3**
Randalls Pk. Av. *Lea* —5J **3**
Randalls Pk. Dri. *Lea* —6J **3**
Randalls Research Pk. *Lea* —5J **3**
Randalls Rd. *Lea* —4G **3**
Randalls Way. *Lea* —6J **3**
Ranelagh Rd. *Red* —5A **22**
Ranmore Clo. *Red* —2C **22**
Ranmore Comn. Rd. *Westh*
—5A **16**
Ranmore Rd. *Dork* —5E **16**
Rathgar Clo. *Red* —3C **30**
Ravens Clo. *Red* —4B **22**
Raymead Clo. *Fet* —7G **3**
Raymead Way. *Fet* —7G **3**
Reading Arch Rd. *Red* —5B **22**
Read Rd. *Asht* —2B **4**
Reads Rest La. *Tad* —5G **7**
Rectory Clo. *Asht* —4D **4**
Rectory La. *Asht* —4D **4**
Rectory La. *Bookh* —4B **8**
Rectory La. *Buck* —2K **19**
Rectory Rd. *Coul* —3J **13**
Redhill Ho. *Red* —4B **22**
Redlands Cotts. *Dork* —6K **25**
Redlands La. *Dork* —6J **25**
Red La. *Dork* —5C **26**
Redlin Ct. *Red* —3B **22**
Red Rd. *Tad* —3F **19**
Redstone Hill. *Red* —5C **22**
Redstone Hollow. *Red* —6C **22**
Redstone Mnr. *Red* —5C **22**
Redstone Pk. *Red* —5C **22**
Redstone Rd. *Red* —6C **22**
Redwood Mt. *Reig* —2G **21**
Reeve Rd. *Reig* —2J **29**
Regent Clo. *Red* —7E **14**
Regent Cres. *Red* —3B **22**
Regent Ho. *Red* —4B **22**
Reigate Hill. *Reig* —4G **21**
Reigate Hill Clo. *Reig* —2G **21**
Reigate Hill Interchange. (Junct.)
—7H **13**
Reigate Rd. *Bet* —4E **18**
Reigate Rd. *Dork* —6A **18**
Reigate Rd. *Eps & Tad* —1C **6**
Reigate Rd. *Lea* —1A **10**

Reigate Rd. *Leigh & Hook* —5H **29**
Reigate Rd. *Reig & Red* —5H **21**
Renmans, The. *Asht* —1D **4**
Rennie Ter. *Red* —6C **22**
Revell Clo. *Fet* —7D **2**
Revell Dri. *Fet* —7D **2**
Ribblesdale. *Dork* —2K **25**
Ricebridge La. *Reig* —1B **28**
Richbell Clo. *Asht* —3B **4**
Richmond Clo. *Fet* —2E **8**
Richmond Way. *Fet* —1D **8**
(in two parts)
Ridge Clo. *Str G* —2F **27**
Ridgegate Clo. *Reig* —3K **21**
Ridge Grn. *S Nut* —1G **31**
Ridge Grn. Clo. *S Nut* —1G **31**
Ridgelands. *Fet* —2F **9**
Ridgemount Way. *Red* —7K **21**
Ridge, The. *Eps* —3G **5**
Ridge, The. *Fet* —2F **9**
Ridgeway Clo. *Dork* —2J **25**
Ridgeway Ct. *Red* —6B **22**
Ridgeway Dri. *Dork* —3J **25**
Ridgeway Rd. *Dork* —2J **25**
Ridgeway Rd. *Red* —5B **22**
Ridgeway, The. *Fet* —2G **9**
Ridings, The. *Asht* —2B **4**
Ridings, The. *Eps* —1K **5**
Ridings, The. *Reig* —3K **21**
Ridings, The. *Tad* —5F **7**
Rifle Butts All. *Eps* —1K **5**
Ringley Pk. Av. *Reig* —6K **21**
Ringley Pk. Rd. *Reig* —5J **21**
Ringwood Av. *Red* —2B **22**
Ringwood Lodge. *Red* —2C **22**
Rise, The. *Tad* —5C **6**
Riverbank. *Westc* —7D **16**
River Island Clo. *Fet* —5F **3**
River La. *Fet* —6F **3**
River La. *Stoke D* —1A **2**
Riverside. *Dork* —5B **18**
Riverside Ct. *Fet* —7J **3**
Robin Gdns. *Red* —3C **22**
Rochester Wlk. *Reig* —3G **29**
Rockshaw Rd. *Red* —5E **14**
Rocky La. *Mers* —6B **14**
Roebuck Clo. *Asht* —5C **4**
Roebuck Clo. *Reig* —5G **21**
Roger Simmons Ct. *Bookh* —2B **8**
Romanby Ct. *Red* —6B **22**
Roman Rd. *Dork* —2J **25**
Roof of the World Cvn. Pk. *Tad*
—2F **19**
Rookery Clo. *Fet* —2G **9**
Rookery Dri. *Westc* —2C **24**
Rookery Hill. *Asht* —3B **4**
Rookery Hill. *Out* —7J **31**
Rookery, The. *Westc* —2C **24**
Rookery Way. *Tad* —5F **13**
Rook La. *Cat* —3H **15**
Rookwood Clo. *Mers* —7D **14**
Roothill Rd. *Bet* —5E **26**
Rosebank Cotts. *Reig* —7H **21**
Rosebery Rd. *Eps* —4H **5**
Rosebushes. *Eps* —1C **6**
Rosedale. *Asht* —3A **4**
Rose Hill. *Dork* —7K **17**
Rose Hill Arch M. *Dork* —7K **17**
Rosehill Farm Meadow. *Bans*
—1H **5**
Rosemead Clo. *Red* —7K **21**
Rose's Cotts. *Dork* —7J **17**
(off West St.)
Rothes Rd. *Dork* —6K **17**
Rough Rew. *Dork* —3K **25**
Rowan Clo. *Reig* —7J **21**
Rowhurst Av. *Lea* —2H **3**
Royal Dri. *Eps* —3B **6**
Ruden Way. *Eps* —1B **6**
Ruffetts Way. *Tad* —3E **6**
Rural Way. *Red* —5C **22**

Rushett Dri. *Dork* —3K **25**
Rushetts Rd. *Reig* —2J **29**
Rushworth Rd. *Reig* —4G **21**
Russell Clo. *Tad* —3A **12**
Russell Ct. *Lea* —7K **3**
Russells. *Tad* —7D **6**
Russet Way. *N Holm* —3B **26**
Rutland Clo. *Asht* —2C **4**
Rutland Clo. *Red* —4B **22**
Ryebridge Clo. *Lea* —3J **3**
Ryebrook. *Lea* —5J **3**
Ryebrook Rd. *Lea* —3J **3**
Ryelands Ct. *Lea* —3J **3**

Saddlers Way. *Eps* —4H **5**
St Alban's Rd. *Reig* —3G **21**
St Andrews Clo. *Reig* —6H **21**
St Andrews Ho. *Reig* —5G **21**
St Anne's Dri. *Red* —4C **22**
St Anne's Mt. *Red* —4C **22**
St Anne's Rise. *Red* —4C **22**
St Anne's Way. *Red* —4C **22**
St Brelades Clo. *Dork* —2J **25**
St Clair Clo. *Reig* —5J **21**
St David's Clo. *Reig* —4J **21**
St George's Hill. *Red* —6F **31**
St George's Rd. *Red* —6F **31**
St James Ct. *Asht* —2B **4**
St John's. *N Holm* —4A **26**
St John's. *Red* —7A **22**
St John's Av. *Lea* —6K **3**
St Johns Chu. Rd. *Dork* —3B **24**
St John's Clo. *Lea* —5A **4**
St John's Ct. Westc —1E **24**
(off St John's Rd.)
St John's Rd. *Lea* —6A **4**
St John's Rd. *Red* —7B **22**
St John's Rd. *Westc* —1E **24**
St John's Ter. Rd. *Red* —7B **22**
St Lawrence's Way. *Reig* —5G **21**
St Leonard's Rd. *Eps* —4C **6**
St Mark's Rd. *Eps* —3C **6**
St Martins M. *Dork* —7J **17**
St Martin's Wlk. *Dork* —6K **17**
St Mary's Clo. *Fet* —1F **9**
St Mary's Rd. *Lea* —7K **3**
St Mary's Rd. *Reig* —6H **21**
St Matthew's Rd. *Red* —4B **22**
St Monica's Rd. *Tad* —6F **7**
St Nicholas Av. *Bookh* —3D **8**
St Nicholas Hill. *Lea* —7K **3**
St Paul's Rd. E. *Dork* —7K **17**
St Paul's Rd. W. *Dork* —1J **25**
St Stephen's Av. *Asht* —1C **4**
Salbrook Rd. *Salf* —8C **30**
Salfords Ind. Est. *Red* —7C **30**
Salfords Way. *Red* —6C **30**
Salvation Pl. *Lea* —2J **9**
Sandcross La. *Reig* —1F **29**
Sandes Pl. *Lea* —3J **3**
Sandhills Rd. *Reig* —6G **21**
Sandlands Gro. *Tad* —1A **12**
Sandlands Rd. *Tad* —1A **12**
Sandown Ct. *Red* —4A **22**
(off Station Rd.)
Sandpit Rd. *Red* —6A **22**
Sandrock. *Westc* —2D **24**
Sandy La. *Bet* —6J **19**
Sandy La. *Blet* —3K **23**
Sandy La. *Kgswd* —2F **13**
Sandy La. *Nutf* —6F **23**
Sandy La. *Reig* —6B **20**
Saxons. *Tad* —6D **6**
Saxon Way. *Reig* —4F **21**
Sayers Clo. *Fet* —1E **8**
School Hill. *Red* —6E **14**
School La. *Fet* —7F **3**
School La. *Mick* —5A **10**
School La. *Tad* —3A **12**
School La. *Westc* —1F **25**

Seale Hill. *Reig* —7G **21**
Sefton Vs. *Dork* —4K **25**
Serpentine Grn. *Red* —7F **15**
Shale Grn. *Red* —7F **15**
Shamrock Clo. *Fet* —6F **3**
Sharon Clo. *Bookh* —2C **8**
Shawley Cres. *Eps* —3C **6**
Shawley Way. *Eps* —3B **6**
Sheephouse Grn. *Ab H* —4B **24**
Sheephouse La. *Wott* —3B **24**
Sheep Wlk. *Eps* —6H **5**
Sheep Wlk. *Reig* —2F **21**
Sheldon Clo. *Reig* —6H **21**
Shellwood Dri. *N Holm* —4A **26**
Shellwood Rd. *Leigh* —5G **27**
Shelvers Grn. *Tad* —6C **6**
Shelvers Hill. *Tad* —6B **6**
Shelvers Spur. *Tad* —6C **6**
Shelvers Way. *Tad* —6C **6**
Shepherd's Hill. *Red* —4E **14**
Shepherd's Wlk. *Eps* —5F **5**
Sherborne Clo. *Eps* —2C **6**
Sherborne Wlk. *Lea* —6A **4**
Shere Clo. *N Holm* —4A **26**
Sheridan Dri. *Reig* —3H **21**
Sheridans Rd. *Bookh* —4E **8**
Sherwood Clo. *Fet* —1E **8**
Sherwood Cres. *Reig* —2H **29**
Shires Clo. *Asht* —4B **4**
Shirley Av. *Red* —3B **30**
Shortacres. *Nutf* —4H **23**
Shrewsbury Rd. *Red* —5A **22**
Shrubland Rd. *Bans* —1F **7**
Silver Clo. *Kgswd* —2E **12**
Silverdale Clo. *Brock* —2F **27**
Silverstone Clo. *Red* —3B **22**
Sincots Rd. *Red* —5B **22**
Skimmington Cotts. *Reig* —6D **20**
Skinners La. *Asht* —3B **4**
Slipshatch Rd. *Reig* —2E **28**
Slipshoe St. *Reig* —5F **21**
Slough La. *Buck* —3A **20**
Slough La. *H'ley* —3G **11**
Smalls Hill Rd. *Leigh & Norw H*
—5B **28**
Smithers, The. *Brock* —7F **19**
Smith Rd. *Reig* —1F **29**
Smithy Clo. *Tad* —4F **13**
Smithy La. *Lwr K* —5F **13**
Smoke La. *Reig* —7H **21**
Snowerhill Rd. *Bet* —7J **19**
Solecote. *Bookh* —3C **8**
Sole Farm Av. *Bookh* —3B **8**
Sole Farm Clo. *Bookh* —2B **8**
Sole Farm Rd. *Bookh* —3B **8**
Soloms Ct. Rd. *Bans* —2K **7**
Somerfield Clo. *Tad* —4E **6**
Somers Clo. *Reig* —4G **21**
Somerset Ho. *Red* —4B **22**
Somerset Rd. *Red* —7K **21**
Somers Pl. *Reig* —4G **21**
Somers Rd. *Reig* —4G **21**
Somerville Ct. Red —4A **22**
(off Oxford Rd.)
Sondes Farm. *Dork* —7H **17**
Sondes Pl. Dri. *Dork* —7H **17**
S. Albert Rd. *Reig* —4F **21**
South Clo. Grn. *Red* —7D **14**
Southcote Rd. *Red* —7E **14**
South Dri. *Dork* —7A **18**
South End. *Bookh* —4D **8**
Southern Av. *Red* —5C **30**
Southerns La. *Coul* —3J **13**
Southey Ct. *Bookh* —2D **8**
South Mead. *Red* —2B **22**
South Pde. *Red* —6E **14**
South Rd. *Reig* —6H **21**
S. Station App. *S Nut* —7G **23**
Spth St. *Dork* —1J **25**
South Ter. *Dork* —1K **25**
S. View Rd. *Asht* —4B **4**

South Wlk. *Reig* —5H **21**
Sparrows Mead. *Red* —2C **22**
Spencer Clo. *Eps* —4J **5**
Spencer Way. *Red* —3C **30**
Spindlewoods. *Tad* —7B **6**
Spinney Croft. *Oxs* —1F **3**
Spinney, The. *Bookh* —2D **8**
Spinney, The. *Eps* —4B **6**
Spital Heath. *Dork* —6A **18**
Spook Hill. *N Holm* —5K **25**
Spring Bottom La. *Blet* —5J **15**
Springcopse Rd. *Reig* —7J **21**
Springfield Dri. *Lea* —5G **3**
Springfield Rd. *Westc* —1D **24**
Spring Gdns. *Dork* —7J **17**
Spring Gro. *Fet* —1D **8**
Squirrels Grn. *Bookh* —1C **8**
Squirrels Grn. *Red* —4A **22**
Stacey Ct. *Mers* —7E **14**
Stag Leys. *Asht* —5C **4**
Staithes Way. *Tad* —5B **6**
Staplehurst Clo. *Reig* —2J **29**
Staplehurst Rd. *Reig* —2J **29**
Station App. *Dork* —5A **18**
Station App. *Lea* —6J **3**
Station App. E. *Earl* —7B **22**
Station App. Rd. *Tad* —7C **6**
Station App. W. *Earl* —7B **22**
Station Rd. *Bet* —2J **19**
Station Rd. *Dork* —6J **17**
Station Rd. *Lea* —6J **3**
Station Rd. *Mers* —6E **14**
Station Rd. *Red* —4A **22**
Station Rd. *Stoke D* —1B **2**
Station Rd. N. *Mers* —6E **14**
Station Rd. S. *Mers* —6E **14**
Station Ter. *Dork* —6J **17**
Steer Pl. *Salf* —7C **30**
Stents La. *Cobh* —5B **2**
Stewart. *Tad* —6D **6**
Stile Footpath. *Red* —5B **22**
Stirling Clo. *Bans* —2F **7**
Stockton Rd. *Reig* —1G **29**
Stoke Clo. *Stoke D* —1B **2**
Stoke Rd. *Cobh* —1A **2**
Stokes Ridings. *Tad* —1D **12**
Stonehill Clo. *Bookh* —3C **8**
Stoneleigh Ct. *Stoke D* —2A **2**
Stones La. *Westc* —1E **24**
Stonny Croft. *Asht* —2D **4**
Strand Clo. *Eps* —4H **5**
Strathcona Av. *Bookh* —6A **8**
Street, The. *Asht* —3D **4**
Street, The. *Bet* —5J **19**
Street, The. *Fet* —1F **9**
Stuart Ct. Red —4C **22**
(off St Anne's Rise)
Stuart Cres. *Reig* —1G **29**
Stuart Rd. *Reig* —1G **29**
Stubbs Clo. *Dork* —2A **26**
Stubs Hill. *Dork* —2A **26**
Sturt's La. *Tad* —5K **11**
Styles End. *Bookh* —5D **8**
Subrosa Cvn. Site. *Red* —1D **22**
Summerfield. *Asht* —4B **4**
Summerlay Clo. *Tad* —5B **6**
Summerly Av. *Reig* —4G **21**
Sumner Clo. *Fet* —2F **9**
Sunmead Clo. *Fet* —7H **3**
Sunnybank. *Eps* —1G **5**
Sunstone Gro. *Red* —7G **15**
Surrey Hills Residential Pk. *Tad*
—1G **19**
Sussex Clo. *Reig* —6K **21**
Sutton Gdns. *Red* —7F **15**
Swallow La. *Mid H* —6K **25**
Swan Cen., The. *Lea* —6K **3**
Swan Ct. *Lea* —7K **3**
Swan Mill Gdns. *Dork* —5A **18**
Swanns Meadow. *Bookh* —4C **8**

Swanworth La. *Mick* —6J **9**
Sycamore Clo. *Fet* —1H **9**
Sycamore Wlk. *Reig* —1J **29**
Sylvan Way. *Red* —6C **22**

Tabarin Way. *Eps* —1C **6**
Tadorne Rd. *Tad* —6C **6**
Tadworth Clo. *Tad* —7D **6**
Tadworth Ct. *Tad* —6D **6**
Tadworth St. *Tad* —1C **12**
Talbot Clo. *Reig* —6H **21**
Taleworth Clo. *Asht* —5B **4**
Taleworth Pk. *Asht* —5B **4**
Taleworth Rd. *Asht* —4B **4**
Talisman Way. *Eps* —1C **6**
Tangier Way. *Tad* —2E **6**
Tangier Wood. *Tad* —3E **6**
Tanners Ct. *Brock* —6F **19**
Tanners Dean. *Lea* —7A **4**
Tanner's Hill. *Bet* —6F **19**
Tanners Meadow. *Brock* —2F **27**
Tannery, The. *Red* —5B **22**
Tapners Rd. *Bet & Reig* —3K **27**
Tate Clo. *Lea* —1A **10**
Tattenham Corner Rd. *Eps*
—2K **5**
Tattenham Cres. *Eps* —3B **6**
Tattenham Gro. *Eps* —3B **6**
Tattenham Way. *Tad* —3D **6**
Taylor Rd. *Asht* —2B **4**
Taynton Rd. *Red* —7F **15**
Teazlewood Pk. *Lea* —2J **3**
Temple Wood Dri. *Red* —2B **22**
Ten Acres. *Fet* —2F **9**
Ten Acres Clo. *Fet* —2F **9**
Terrace, The. *Asht* —1A **26**
Thepps Clo. *S Nut* —1H **31**
Thomas Moore Ho. *Reig* —5J **21**
Thorncroft Dri. *Lea* —1K **9**
Thornfield Rd. *Bans* —2G **7**
Thoroughfare, The. *Tad* —2A **12**
Three Arches Pk. *Red* —2B **30**
Three Arch Rd. *Red* —2B **30**
Thurnham Way. *Tad* —5C **6**
Tilehurst La. *Dork* —1C **26**
Tiler's Wlk. *Reig* —2J **29**
Tiler's Way. *Reig* —2J **29**
Tilgate Comn. *Blet* —4K **23**
Tilley La. *H'ley* —7G **5**
Tilt Clo. *Cobh* —1A **2**
Tilt Meadow. *Cobh* —1A **2**
Timber Clo. *Bookh* —5E **8**
Timberhill. *Asht* —4C **4**
Timperley Ct. *Red* —3A **22**
Timperley Gdns. *Red* —3A **22**
Tinefields. *Tad* —4E **6**
Tollgate Av. *Red* —3B **30**
Tollgate Rd. *Dork* —3K **25**
Topiary, The. *Asht* —5C **4**
Tot Hill. *H'ley* —4G **11**
Tower Hill. *Dork* —2K **25**
Tower Hill Rd. *Dork* —2K **25**
Tower Rd. *Tad* —1C **12**
Townfield Ct. *Dork* —1J **25**
Townfield Rd. *Dork* —1J **25**
Townshott Clo. *Bookh* —4C **8**
Tranquil Dale. *Buck* —3K **19**
Trashermead. *Dork* —2A **26**
Treadwell Rd. *Eps* —1J **5**
Treelands. *N Holm* —3A **26**
Treeview Ct. *Reig* —5K **21**
(off Wray Comn. Rd.)
Tree Way. *Reig* —2H **21**
Tregarthen Pl. *Lea* —6A **4**
Trehaven Pde. *Reig* —1H **29**
Trentham Rd. *Red* —7C **22**
Trindles Rd. *S Nut* —7H **23**
Trittons. *Tad* —6D **6**
Trowers Way. *Red* —2D **22**
Trumpets Hill Rd. *Reig* —6B **20**